D0295116

Gemeentelijke Hoofdbibliotheek
- Beveren -

DE PUZZEL VOLTOOID

Olga van der Meer

De puzzel voltooid

Eerste druk in deze uitvoering 2005

NUR 344
ISBN 90.205.2731.2

Omslagillustratie: Jack Staller
Omslagontwerp: Van Soelen, Zwaag

HOOFDSTUK 1

„Hè verdraaid, hang je nou nog voor die tv? Ik had gezegd dat je je kamer moest opruimen." Amanda Veerman wierp een geïrriteerde blik op haar zestienjarige dochter Elvira, die met de afstandsbediening in haar handen onderuit gezakt op de bank zat.
„Ja, ik doe het zo," zei Elvira met haar blik strak op het scherm gericht.
„Dat zei je een halfuur geleden ook. Kom op nou, je hebt ook je huiswerk nog en vanavond moet je naar de handbaltraining."
„Ik zeg toch dat ik het zo doe. Allemachtig, altijd dat gezeur hier!"
Kwaad gooide Elvira de afstandsbediening op tafel en stampvoetend liep ze de kamer uit. Een harde knal van een dichtgegooide deur bewees dat Elvira inderdaad naar haar eigen kamer ging, maar Amanda betwijfelde sterk of ze daar ging doen wat ze moest doen, namelijk opruimen en huiswerk maken. Waarom hadden middelbare scholen van die onmogelijke tijden, die ervoor zorgden dat pubers vaak overdag thuis waren? Schooldagen die van 's morgens negen tot 's middags vijf uur zouden duren, leken Amanda een zaligheid.
Even later denderde er keiharde muziek door het huis. Dezelfde muziek die even daarvoor op de televisie in de huiskamer te horen was geweest, concludeerde Amanda. Elvira had dus besloten in haar eigen kamer verder te kijken. Waarschijnlijk lag ze nu languit op haar bed te niksen.
Amanda haalde gelaten haar schouders op. Het viel absoluut niet mee, een dochter in de puberteit. Twee dochters zelfs, want de vijftienjarige Alexandra wist er tegenwoordig ook aardig raad mee.
Maar waar de vroeger zo rustige Elvira de laatste tijd om niets uitbarstte en een grote mond opzette, werd de normaal gesproken zo spontane en vrolijke Alexandra steeds stiller. Die zat eigenlijk alleen nog maar op haar eigen kamer als ze thuis was. Elvira leek er juist een sport van te maken om zoveel mogelijk in de huiskamer te bivakkeren en haar huisgenoten het leven

zuur te maken. Amanda wist niet om welk gedrag ze zich meer zorgen moest maken.
Enfin, ze zou zich er maar niet al te druk om maken. Als consequente opvoeder zou ze nu naar haar dochters kamer moeten gaan, de tv uitzetten en haar afstandsbediening in beslag moeten nemen tot Elvira haar taken uitgevoerd had, maar dat zag Amanda absoluut niet zitten. Ze wist precies tot wat voor scène dat zou leiden en dat was het haar niet waard. Met het verstrijken der jaren zou haar opstandige gedrag vanzelf wel overgaan. Dat hoopte ze tenminste.
De herrie negerend liep Amanda naar de eerste verdieping van hun riante, vrijstaande huis. De jongste telg van het gezin, Bennie, had inmiddels zijn middagslaapje achter de rug.
„Hallo jochie, kom je bij mama?" Uitnodigend strekte Amanda haar armen naar hem uit. Nog een beetje suf van de slaap liet de peuter zich tegen haar aan vallen. Met een intens geluksgevoel tilde Amanda hem op. Dit kleintje haalde het beste in haar naar boven en vergoedde veel van de kuren van zijn grote zussen.
Ze hadden niet bepaald een standaardgezin, peinsde ze terwijl ze Bennie een schone luier aantrok en hem wat opfriste. Als tweeëntwintigjarige was ze zwanger geraakt van Elvira, net nadat Rudi en zij getrouwd waren. De portiekwoning die ze toen huurden, was klein en ingericht met tweedehands spulletjes, maar dat deed aan hun geluk niets af. Ze genoten samen van de zwangerschap en maakten plannen voor de toekomst. Vijftien maanden na Elvira kwam de tweede dochter, Alexandra. Met opzet vlak achter elkaar, omdat Amanda en Rudi dat leuker vonden voor hun kinderen. Jarenlang leek hun gezin compleet, tot Amanda na tien jaar opnieuw de kriebels kreeg. Haar dochters werden groter, gingen iedere dag naar school en leken haar steeds minder nodig te hebben. Rudi had inmiddels een uitstekende baan als bedrijfsjurist, het huis waar ze naartoe verhuisd waren leek in niets op hun kleine portiekwoning en ze kreeg een werkster voor de grote huishoudelijke klussen. Amanda twijfelde in die tijd of ze een baan zou gaan zoeken om een nieuwe invulling aan haar dagelijkse leven te geven, maar

tegelijkertijd realiseerde ze zich dat ze er nog niet aan toe was om afscheid te nemen van deze belangrijke periode in haar leven. Het liefst wilde ze het allemaal nog een keer meemaken, nu als volwassen, stabiele vrouw en niet als té jonge, overbezorgde moeder. Het duurde een tijdje voor Rudi met haar plannen instemde, maar toen hij eenmaal zover was, duurde het niet lang voor hun gezin werd uitgebreid met een zoon, Timo. Twee jaar later volgde Bennie, de hekkensluiter. Hier zou het bij blijven, besloten Amanda en Rudi eenparig. Ze hadden twee gezonde dochters en twee gezonde zonen, mooier kon het niet. Rudi begon met een studie naast zijn toch al drukke baan, omdat hij zich wilde blijven ontwikkelen. Amanda stortte zich vol overgave opnieuw op haar rol van moeder. Ze moest weer naar het consultatiebureau, liep nachtenlang door het huis met een brullend kind op haar armen, kocht weer middeltjes die de pijn van doorkomende tandjes moesten verzachten en verdiepte zich opnieuw in kinderboeken. En ze genoot van iedere minuut. Het was net of ze twee verschillende gezinnen had. Aan de ene kant haar dochters met hun verliefdheden, huiswerk en de drukte om hun uiterlijk en aan de andere kant twee kleintjes, die voortdurende zorg nodig hadden. Beide kanten hadden hun charme en Amanda klaagde absoluut niet over haar leven. Ze hadden het goed met zijn zessen. Financieel ging het hen voor de wind, ze waren allemaal gezond en haar huwelijk met Rudi barstte dan wel niet van de romantiek, maar ze waren nog steeds graag bij elkaar. De heftige verliefdheid van vroeger was verdwenen, maar de band die daarvoor in de plaats was gekomen, was minstens zo belangrijk. Kortom, alles liep prima binnen hun gezin.

Alleen was het jammer dat Elvira tegenwoordig van die kuren vertoonde en dat Alexandra zich steeds meer in zichzelf opsloot, maar dat hoorde er nu eenmaal ook bij. Vergeleken bij anderen hadden haar dochters een behoorlijk heftige puberteit, had Amanda gemerkt, maar je had als ouders nu eenmaal niet alles in de hand. Vroeger waren ze allebei heel makkelijk geweest, waardoor het nu misschien ook erger leek dan het was. Amanda probeerde hun negatieve gedrag zoveel mogelijk

te negeren en hield zichzelf voortdurend voor dat dit van voorbijgaande aard was.
Met Bennie in zijn buggy wandelde ze naar de basisschool waar de vierjarige Timo sinds kort op zat. Ze genoot van het voorjaarszonnetje en van het feit dat ze niet hoefde te stressen en te haasten om op tijd bij de deur van school te staan, wat ze bij veel andere moeders wel zag. De meeste vrouwen hadden tegenwoordig een baan naast hun gezin, maar daar had Amanda nooit naar verlangd.
Over een paar jaar misschien, als Bennie ook naar school zou gaan. Maar niet meer dan zo'n twaalf uur per week, besloot Amanda al bij voorbaat. Ze zag er het nut niet van in om constant te moesten haasten en om zo'n strak schema te moeten hanteren als ze vaak hoorde van de andere moeders. Een onverwachte vrije dag van school of een ziek kind was genoeg om paniek te doen uitbreken. Dat wilde ze niet. Ze wilde ruimte blijven houden om met haar kinderen onverwacht naar de speeltuin te gaan als het mooi weer was. Ze wilde 's middags spelletjes met ze doen in plaats van nog snel iets schoon te moeten maken. Ze wilde 's avonds een uitgebreid bad- en bedritueel voor haar kinderen en ze niet snel in bed stoppen omdat ze verlangde naar een uurtje rust.
De juffrouw van Timo nam haar even apart toen ze de klas inkwam.
„Het gaat goed met hem," verzekerde ze Amanda. „Hij is alleen wel erg stil, vind ik. Uit zichzelf vertelt hij nooit iets, ook niet in de kringgesprekken. De wat dominantere kinderen spelen de baas over hem en hij laat over zich heen lopen. Soms kan hij ineens heel fel uitvallen, maar meestal zit hij rustig in een hoekje te spelen. Is hij thuis ook zo of moet hij nog steeds wennen aan andere kinderen?"
„Het zit in zijn karakter," zei Amanda met een glimlach naar Timo. Hij zat braaf op zijn stoeltje te wachten tot zijn moeder en juf uitgepraat waren. Bennie brabbelde vanuit zijn buggy vrolijk tegen zijn grote broer. „Thuis moet ik ook in de gaten houden dat hij niet ondergesneeuwd wordt door zijn grote zussen. Die twee hebben een veel grotere mond dan hij, waardoor

hij altijd het onderspit delft. Ik moet dan echt voor hem opkomen."
„Misschien verandert dat als hij langer op school zit. Aan zijn hersens mankeert gelukkig niets, hij heeft alles heel snel door."
„Kijk, dat heeft hij nou van mij," grijnsde Amanda.
Met een omweg via de speeltuin, waar ze een uurtje met haar zoons speelde, slenterde ze later op haar gemak naar huis. Veel mensen zouden haar leven saai vinden, peinsde ze. Ze had haar gezin, haar huishouden en een kaartclubje waar ze iedere week een avond heen ging. Verder was ze voorleesmoeder bij Timo op school en had ze het plan opgevat om lid te worden van de ouderraad. Haar grootste hobby was lezen. Een enkele keer gingen Rudi en zij een avondje uit en soms ging ze naar verjaardagen van familieleden of vrienden, maar het liefst was ze thuis. Het was allemaal weinig spectaculair en opwindend, maar het was háár leven en ze was er gelukkig mee.

Het was dinsdag, de enige dag in de week dat Rudi vroeg thuis kwam, omdat er dan 's avonds handbaltraining was. Hij was zelf een fanatiek speler en trainde sinds een jaar ook het team waar Elvira en Alexandra in zaten. Rudi handbalde al vanaf zijn jeugd en omdat Amanda sinds het begin van hun huwelijk ieder weekend naar zijn wedstrijden ging kijken, waren Elvira en Alexandra met die sport opgegroeid. Als vanzelfsprekend waren ze ook lid geworden van de club, net zoals dat nu ook van Bennie en Timo werd verwacht als ze de leeftijd ervoor zouden hebben. Op dinsdagavond zaten ze altijd klokslag half zes aan tafel, want om zeven uur vertrok Rudi met zijn dochters naar het veld en hij wilde beslist niet met een volle maag aan de training beginnen. Amanda vond het geen probleem om zich daar bij aan te passen.
„Wat eten we?" vroeg Alexandra. Ze kwam de keuken binnen, opende de ijskastdeur en zette een pak melk aan haar mond.
„Neem een beker," verzocht Amanda automatisch. Dit zei ze zowat iedere dag, zonder veel resultaat.
„Wat eten we?" vroeg Alexandra nogmaals terwijl ze het pak terugzette en haar mond afveegde met de rug van haar hand.

„Worteltjes met gebakken aardappels en kabeljauw. Dek jij de tafel even?"
Alexandra trok een ontevreden gezicht. „Waarom moet ik dat altijd doen? Roep Elvira maar, die doet nooit iets."
„Stel je niet zo aan."
„Mam, ik ben met mijn huiswerk bezig, ik kwam alleen even beneden omdat ik dorst had."
„Die paar minuten maken dan ook niets uit." Amanda keerde de aardappelschijfjes in de koekenpan om en controleerde de vis, die in de oven stond.
Alexandra stampvoette. „Voor mij wel," zei ze opstandig. „Ik vind het belangrijk om goede cijfers te halen, dus laat Elvira die stomme klusjes maar doen. Zij voert geen moer uit voor school."
„Alex, zeur niet zo," zei Amanda kortaf. „In die tijd dat je hier staat te discussiëren had je allang klaar kunnen zijn met die tafel. Je ijver voor school is lovend, maar het leven bestaat uit meer dan schoolwerk alleen."
„Het huishouden zeker." Alexandra snoof minachtend. „Als je maar weet dat ik iets wil bereiken later. Ik wil een echt vak leren en niet het sloofje van mijn gezin zijn. Zoals jij," voegde ze er hatelijk aan toe. Na die woorden stampte ze de keuken uit.
Amanda hoorde haar de trap oplopen, even later gevolgd door de onvermijdelijke klap van haar kamerdeur. Even vroeg ze zich af hoe het mogelijk was dat de deuren in hun huis het nog niet begeven hadden onder het geweld wat ze dagelijks moesten ondergaan. Het was het bewijs dat hun huis zeer degelijk en solide was, dacht ze met galgenhumor.
Ze weigerde om verder na te denken over Alexandra's laatste opmerking, die behoorlijk denigrerend was geweest. Het gaf goed aan wat het beeld van fulltime huisvrouwen was. Amanda trok zich daar over het algemeen weinig van aan, maar als zelfs je eigen dochters zoiets riepen, was het toch pijnlijk. Alsof ze minder was dan haar kinderen.
Omdat het eenvoudiger was om het zelf te doen dan om Alexandra terug te roepen, dekte Amanda zelf de tafel maar.

Altijd die scènes om niets, daar had ze geen zin in. Het bedierf de stemming zo.
Haastig maakte ze het eten af, riep haar dochters van boven, plukte Timo voor de tv vandaan en zette Bennie in zijn kinderstoel voor de eettafel, zodat ze meteen aan konden schuiven toen Rudi binnen kwam.
„Ha lekker, vis," zei hij glunderend na Amanda een zoen gegeven te hebben.
Ze lachte naar hem. Rudi kon vaak nors en kortaf zijn, zeker als hij een drukke dag achter de rug had. Maar vandaag was hij zo te zien in een opperbeste stemming. Hij vertelde honderduit over zijn dag, voerde Bennie en maakte grapjes met Timo. Zo hield ze het meest van hem.
„Timo doet het goed op school, volgens zijn juffrouw," vertelde Amanda terwijl ze haar oudste zoon over zijn haar streek en hem toeknikte.
„Natuurlijk, ik had niet anders verwacht," zei Rudi trots. Hij gaf Timo, die naast hem zat, een por met zijn elleboog. „Dat wordt later de universiteit, hè knul?"
„Ik wil voetballer worden," beweerde Timo ernstig.
„Handballer dan nog altijd. Over twee jaar word jij ook lid van de club." Rudi veegde met een voldaan gezicht zijn mond af. „Schat, dat smaakte heerlijk. Kom Bennie, jij moet nog een paar hapjes."
„Ik wil voetballen," hield Timo vol.
Elvira en Alexandra keken elkaar veelbetekenend aan. Hun vader kennende kon Timo naar een voetbalclub fluiten.
„Alle kinderen uit mijn klas zitten op voetbal."
„Des te meer reden voor jou om dat niet te gaan doen," was Rudi's commentaar. „Of wil jij zo iemand worden die achter de horde aanloopt? Niks hoor, wij trekken ons eigen plan. Jij gaat gewoon met papa mee naar de handbal als je oud genoeg bent."
„Dat wil ik niet. Handballen is stom! Handballen is iets voor mietjes." Timo had geen flauw benul wat dat betekende, maar Kenny, de jongen uit zijn klas met de grootste mond, had dat gezegd.
„Je bent zelf stom," zei Rudi niet bepaald pedagogisch. „Praat

niet over dingen waar je geen verstand van hebt en eet door."
Timo wilde nog iets zeggen, maar een blik van Amanda weerhield hem daarvan. Mokkend stopte hij nog een hap vis in zijn mond. Rudi's goede stemming was meteen verdwenen. Hij zag de humor niet in van dergelijke opmerkingen uit de mond van een kind van vier. Wie zijn geliefde sport beledigde, beledigde hem.
„Wie wil er een toetje? Ik heb verse frambozenmousse gemaakt," zei Amanda opgewekt in een poging nog iets van de sfeer te redden. Zonder veel resultaat overigens. Rudi bromde alleen maar wat, Timo was de enige die enthousiast reageerde. Gelaten zette Amanda de schaal op tafel. Er was verdorie ook iedere dag wat tegenwoordig. Rudi kon steeds minder hebben, dat was haar al vaker opgevallen. In combinatie met de buien van haar twee puberdochters, gaf dat regelmatig problemen. De stemming in huis werd er in ieder geval niet beter op. Maar misschien trok Rudi zo wel weer bij. Het was tenslotte dinsdag en dan was er nooit zo veel dat zijn dag kon verpesten. Hij leefde gewoon vóór die sport.
„Ik wil ook niet meer handballen," zei Elvira echter plotseling. „Ik heb er schoon genoeg van om iedere week een aantal keren op te moeten draven om achter een bal aan te rennen." Haar opmerking sloeg in als een bom. Rudi liep rood aan.
„Sporten is anders heel gezond," zei Amanda snel in de hoop een ruzie te voorkomen. „Zeker voor scholieren als jullie. Je zit de hele dag in de klas."
„Onzin. Ik fiets iedere dag ruim een uur op en neer naar school en daarbij hebben we ook nog twee uur gymles per week. Ik heb er gewoon geen zin meer in, dat kan toch? Ik kap ermee."
„Jij gaat straks gewoon mee," zei Rudi kortaf.
„Dat maak ik zelf wel uit. Wilde je me soms dwingen?" Over de tafel heen keek Elvira hem recht aan, haar ogen leken hem uit te dagen. Kom maar op, las hij erin. Heel even kreeg hij het benauwd en hij wist dat hij op moest passen met wat hij nu zou zeggen. Dit soort dingen konden heel makkelijk escaleren.
„Je kunt je team niet zonder meer in de steek laten. Als je ermee wilt stoppen, zeg je met een behoorlijke termijn op." Hij

sprak rustig, maar Amanda hoorde de ingehouden woede in zijn stem. Angstig keek ze van haar man naar haar dochter. Er speelde iets onderhuids, maar wat?
„Ik pieker er niet over. We hebben vier reserves in ons team, dus ze zullen me niet missen. Ik denk eerder dat ze blij zijn als er iemand uitvalt."
„Normaal opzeggen is een kwestie van goed fatsoen," zei Rudi. „Ik ben behalve je trainer ook je vader. Wat denk je dat ik te horen krijg als jij de boel zomaar in de steek laat?"
Elvira haalde haar schouders op, ze was niet ontvankelijk voor dit soort argumenten. „Dan had je onze trainer niet moeten worden," zei ze hatelijk. Even bleef het stil, toen voegde ze eraan toe: „Dan had ik misschien nog steeds plezier in het sporten gehad ook." Haar stem klonk bitter.
Amanda kromp in elkaar, wachtend op de woedeuitbarsting van Rudi. In plaats daarvan stond hij op en liep zonder een weerwoord te geven de kamer uit. In stilte was ze hem hier dankbaar voor, maar het bevreemdde haar ook. Rudi hield nooit zijn mond dicht als hij vond dat hij gelijk had, ook niet als de situatie uit de hand dreigde te lopen. Hij stond altijd enorm op zijn strepen en wilde nooit bakzeil halen.
„Wat was dat nou voor onnodig hatelijk opmerking?" verweet ze Elvira. „Als je vindt dat hij als trainer niet voldoet, kun je daar normaal over praten, maar dan wel op de club. Thuis is hij je vader, niet je trainer. Wat is er trouwens aan de hand? Traint hij verkeerd, is hij te streng?"
Weer trok Elvira met haar schouders, een onwillig gebaar dat ze de laatste tijd vaak maakte. „Met een vreemde trainer is het leuker," zei ze alleen. Ze wisselde een blik met Alexandra, die Amanda niet ontging.
Er wás iets, begreep ze. Ze wist echter dat ze het haar toch niet zouden vertellen. Als moeder speelde ze tegenwoordig nog slechts een zeer beperkte rol in hun leven. Ze was goed genoeg om het huis schoon te houden en de lunchpakketten klaar te maken, maar niet ontwikkeld genoeg om een gesprek mee te voeren, dacht ze bitter. Ze troostte zichzelf met de gedachte dat dit voor de meeste moeders gold. Zolang je kinderen klein

waren bestond er geen liever of belangrijker persoon dan mama, maar met het verstrijken van de jaren werd dat minder en minder, tot het zelfs helemaal ophield en mama amper nog iets waard was.
„Als jij stopt, ga ik ook niet meer mee," zei Alexandra opeens. „Ik ga niet alleen met pa naar de club."
„Jullie zoeken het maar uit," zei Amanda vermoeid. „Ik bemoei me er niet meer mee. Als je het maar zelf tegen je vader zegt, ik doe het niet voor je."
Weer ging er een blik tussen de twee zussen heen en weer. „Ga je mee naar boven om het te vertellen?" vroeg Alexandra onzeker.
Elvira knikte. „Natuurlijk. Hij zal heus niet veel zeggen, daar zorg ik wel voor." Het klonk zelfverzekerd, maar haar stem trilde.
Fronsend keek Amanda haar dochters na. Wat betekende dit toch allemaal? Het leek wel of die twee ineens een front tegen hun vader vormden. Het was haar vaker opgevallen dat vader en dochters niet veel meer van elkaar konden verdragen, maar zo uitdagend had ze Elvira nog nooit tegen Rudi meegemaakt. Dat soort buien bewaarde ze meestal voor haar moeder.
Bennie leidde de aandacht van zijn zussen af doordat hij kans zag zijn bord op de grond te gooien. Amanda was druk in de weer met het opruimen van de troep. Ze moest maar niet teveel piekeren. Conflicten hoorden de laatste tijd nu eenmaal in hun gezin, dat was onvermijdelijk met twee dochters in de moeilijke leeftijd. Zich daar tegen verzetten zou alleen maar nieuwe ruzies uitlokken. Het enige dat ze kon doen, was hopen dat deze periode snel voorbij zou gaan.

HOOFDSTUK 2

In de jaren die volgden kon Amanda niet anders dan constateren dat dat ijdele hoop was geweest. Terwijl haar dochters ouder werden en ze in haar omgeving zag dat andere pubers rustiger en redelijker werden, werd de situatie bij hen thuis juist steeds erger. Alexandra werkte nog steeds hard voor school, maar eigenlijk was dat het enige positieve wat er van haar gezegd kon worden. Thuis liep ze met een ontevreden, chagrijnig gezicht rond. Uit zichzelf zei ze weinig, maar als iemand haar iets vroeg, kon die een snauw terug verwachten. Het liefst zat ze op haar eigen kamer en diep in haar hart vond Amanda dat prima. Alexandra bezat de twijfelachtige gave om alleen met haar aanwezigheid al een domper op de stemming te zetten.

Elvira bleef even opstandig en ongezeglijk. Schoolwerk interesseerde haar niet en ze had zich allang voorgenomen daar de brui aan te geven zodra ze niet meer leerplichtig zou zijn. Spijbelen was bij haar meer regel dan uitzondering en Amanda was al heel wat keren op school geweest om over Elvira's gedrag te praten. Ze maakte zich heel veel zorgen om haar oudste dochter. Vaak hing ze op straat rond met een groepje jongeren waarvan Amanda wist dat ze er niet veel goeds van kon leren. Ze probeerde er met Elvira over te praten, maar zoals gewoonlijk ketste dat af op een muur van onwil.

„Alsof we hier in huis zulke goede waarden meekrijgen," was het enige, hatelijke verweer.

„Wat bedoel je daarmee?" vroeg Amanda kalm, maar daar kreeg ze geen antwoord op.

Elvira was er een ster in om zich af te sluiten tijdens gesprekken. Ze kon haar moeder ondoorgrondelijk aan blijven staren zonder een woord te zeggen en Amanda werd daar bloednerveus van. Ze ging dergelijke confrontaties liever uit de weg. Amanda kon niet tegen haar dochters op en dat wist ze. Erger, Elvira en Alexandra wisten dat ook en maakten daar misbruik van. Met Rudi waren er veel minder conflicten, omdat ze hem zoveel mogelijk ontweken. Hij begreep dan ook niet veel van

Amanda's geklaag over hun twee oudste kinderen en was van mening dat het allemaal wel meeviel.
„Maak je niet zo druk," zei hij regelmatig. „Het zijn nu eenmaal pubers, dit gedrag hoort erbij."
„Dat zeg je steeds, maar zo simpel ligt het niet. Jij hebt er weinig last van, maar ik zit er dagelijks mee."
„Ze hebben nu eenmaal iemand nodig om zich tegen af te zetten en omdat jij altijd thuis bent, valt die twijfelachtige eer jou te beurt. Ik vind het trouwens wel meevallen. Ze kunnen een behoorlijk grote mond opzetten, dat ben ik met je eens, maar afwijkend gedrag ten opzichte van leeftijdgenoten vertonen ze niet. Bovendien zijn ze niet aan de drugs of zo, dat is tegenwoordig al heel wat."
„Jij bagatelliseert het," verweet Amanda hem.
„Nee lieverd, jij overdrijft. Dit gaat voorbij, heus," beweerde hij.
„Kun je me ook vertellen wanneer?" vroeg ze cynisch.
Rudi begon te lachen en trok haar naar zich toe. „Als ik daar het antwoord op wist, zou ik slapend rijk worden," grinnikte hij. „Geloof me, in ieder gezin met opgroeiende kinderen willen ze dat weten."
„Maar ze zijn inmiddels bijna achttien en zeventien. Ik vind dat ze het wel erg lang volhouden," wierp Amanda tegen.
„Ach ja, onze kinderen zijn doorzetters," lachte Rudi.
„Elvira wil van school af en een baantje zoeken. Ik heb geprobeerd met haar te praten, want het is natuurlijk doodzonde om nu te stoppen. Nog één jaar, dan heeft ze haar diploma op zak."
Rudi wreef nadenkend over zijn kin. „Denk je dat ze slaagt?" informeerde hij.
„Als ze haar best gaat doen. De hersens heeft ze er voor," meende Amanda.
„Alleen gebruikt ze ze niet. We kunnen haar niet dwingen te leren als ze dat zelf niet wil. Laat haar haar gang maar gaan. Ik denk dat werken helemaal niet verkeerd is voor haar."
Verbaasd keek Amanda hem aan. „En dat zeg jij? Je hamert er al jaren op dat een goede opleiding belangrijk is. Zonder papiertje bereik je niets, dat zijn je eigen woorden. En nu ineens vind je dit goed?"

„Ze spijbelt vaker dan dat ze op school zit, dus dat diploma haalt ze toch niet. Zeg haar maar dat ze met school mag stoppen zodra ze werk heeft, eerder niet. Ik wil niet dat ze thuis rondhangt zonder iets te doen."
„Waarom praat je zelf niet met haar? Dat soort dingen laat je altijd aan mij over."
„Ik zie haar amper," was Rudi's verweer hierop. „Sinds ze niet meer op handbal zitten, blijft het contact met mijn dochters beperkt tot het avondeten, zo langzamerhand."
Amanda dacht daar even over na en moest toegeven dat hij gelijk had. Het was haar nooit zo opgevallen, maar het was inderdaad waar wat Rudi zei. Overdag werkte hij natuurlijk, verder was hij twee avonden per week op de handbalclub te vinden en speelde hij zaterdags wedstrijden. Vaak was hij ook op zondag op de club, al dan niet in gezelschap van Amanda. De uren die hij wel thuis doorbracht waren Elvira en Alexandra er meestal niet of zaten ze op hun eigen kamers. Ze gingen steeds meer hun eigen gang en maakten liever afspraken met hun vrienden dan dat ze braaf met pa en ma meegingen. Logisch, maar nu Amanda er over nadacht, besefte ze voor het eerst dat Rudi zijn dochters inderdaad bijna nooit zag. Met hun huidige gedrag was dat iets om jaloers op te zijn, verzuchtte ze in gedachten.
„Misschien moet ik ook een baan gaan zoeken en lid worden van een sportclub," zei ze half lachend, half serieus.
„Het kan inderdaad geen kwaad als je iets buiten de deur gaat doen," ging Rudi daar op in. „Nu Bennie ook op school zit, ben je te vaak alleen thuis, daar ga je alleen maar van piekeren. Je fixeert je teveel op Elvira en Alexandra. Dat moet je een beetje loslaten, heus. Volgens mij werk je hun gedrag alleen maar in de hand."
„O, dus het is mijn schuld?" zei Amanda verongelijkt.
„Dat zeg ik niet. Ik heb alleen het idee dat ze zich blijven verzetten tegen je omdat je te pontificaal aanwezig bent. Je let voortdurend op ze."
„Daar ben ik hun moeder voor. Misschien zou jij je eens wat meer met ze moeten bemoeien, dan hoef ik dat niet constant te

doen," zei Amanda lichtelijk verontwaardigd.
„Als ze dat zouden willen, zou ik dat met liefde doen, maar je ziet zelf hoe het gaat. Ze willen niet meer betutteld en opgevoed worden en ik respecteer dat," was Rudi's mening.
Amanda zuchtte. „Misschien heb je ook wel gelijk en ben ik gewoon niet in staat om ze los te laten, hoewel ze daar wel de leeftijd voor krijgen. Hè, wat zijn Timo en Bennie dan toch heerlijk ongecompliceerd. Die kan ik tenminste nog vertroetelen en knuffelen."
„Ik wil je niet ontmoedigen, maar ook dat duurt niet eeuwig. Over een jaar of acht, als je net heerlijk achterover leunt omdat Elvira en Alexandra volwassen zijn, begint het hele puberteitscircus opnieuw," grijnsde Rudi.
„Bedankt, dat wilde ik net even horen." Amanda gooide een kussen van de bank naar zijn hoofd, dat hij behendig opving en retourneerde. Daarna nam Rudi Amanda in zijn armen en kietelde haar in haar zij tot ze om genade smeekte.
„Ik stop ermee in ruil voor een zoen," eiste Rudi. Hij boog zich naar haar toe en drukte zijn lippen stevig op die van Amanda.
„Gadver, doe even normaal, zeg," klonk plotseling Elvira's harde stem. Zonder dat ze het gemerkt hadden, was ze de kamer binnen gekomen. Ze keek met een blik van afgrijzen naar haar ouders.
„We zijn wettelijk getrouwd, dus het mag," grapte Amanda. Hoewel ze niets verkeerds hadden gedaan, voelde ze zich toch enigszins betrapt. Ze kon zich levendig voorstellen dat haar dochters niets wilden weten van het feit dat hun ouders ook nog een intiem leven hadden samen. Dat hoorde per definitie niet in de ogen van kinderen op die leeftijd.
„Je moet er maar zin in hebben met zo'n man," bromde Elvira binnensmonds. Ze wilde de kamer weer verlaten, maar Amanda hield haar tegen.
„We willen even met je praten. Je vader heeft je iets te zeggen." Ze vond dit een mooie gelegenheid om de kwestie school ter sprake te brengen, nu Rudi en Elvira allebei thuis waren. Terecht meende ze dat Rudi alles wel makkelijk op haar afschoof.

„Wat dan?" Elvira draaide zich naar hem om, de blik in haar ogen was ronduit vijandig en dat veranderde nauwelijks toen Rudi haar vertelde wat Amanda en hij net besloten hadden.
„Dus ik mag een baan gaan zoeken?" begreep Elvira. „Dat was ik overigens toch al van plan, ik zat niet te wachten op jullie toestemming." Het klonk spottend.
„Hou nou eens op met dat zogenaamde stoere gedrag van je," viel Amanda uit. „Je bent bijna achttien en vind jezelf al heel volwassen, maar je blijft je gedragen als een klein, onredelijk kind. We proberen hier een normaal gesprek te voeren met je en het zou fijn zijn als er uit jouw mond ook eens iets verstandigs kwam."
Elvira richtte haar blik nu op haar moeder, zoals altijd stonden haar ogen ondoorgrondelijk. „Was dit het?" vroeg ze koeltjes. „Dan ga ik nu naar boven. Welterusten."
„Zie je nu wat ik bedoel?" wendde Amanda zich moedeloos tot Rudi. „Ik krijg gewoon geen vat op haar. Alles wat ik zeg stuit tegen een muur."
„Het is de leeftijd," probeerde Rudi te troosten.
„Dat zeg je al jaren. Ik geloof dat dit een standaardopmerking is, maar ik ben het langzamerhand aardig beu."
Rudi gaf geen antwoord meer. Hij staarde peinzend in de verte en Amanda zag dat hij diep in gedachten was verzonken. Het viel voor hem ook niet mee, begreep ze. Zij was dan wel degene die alle stormen over haar hoofd kreeg, maar Rudi moest vaak het gevoel hebben dat hij niet meetelde voor zijn dochters. Ze ontweken hem en als ze wel in elkaars gezelschap waren, mondde het vaak uit in ruzie. Vooral Elvira had er een handje van om Rudi subtiel te laten merken dat ze zich door hem niets liet zeggen. Amanda voelde medelijden met haar man opkomen. Het was niet vreemd dat hij zich op een zijspoor gezet voelde. Goed genoeg om het geld binnen te brengen, meer niet. En dan zat zij ook nog constant te klagen dat ze het zo moeilijk had, dacht ze schuldbewust. Het werd inderdaad tijd dat ze een baantje ging zoeken, zodat ze iets had wat haar gedachten afleidde en wat haar bezig hield. Nu draaide ze alleen maar rond in het kringetje thuis, wat haar steeds meer ging benauwen. Als er niets ver-

anderde, werd ze straks zo'n eeuwig zeurende en klagende huisvrouw die alleen nog maar over haar kinderen kon praten, realiseerde ze zich geschrokken. Zo'n type dat haar eigen man het huis uitjoeg omdat hij toch niet meer meetelde. Zover wilde ze het absoluut niet laten komen.
Ook al had ze vaak het gevoel dat ze er alleen voorstond, ze wist dat Rudi met haar meedacht. Ook hij probeerde oplossingen te bedenken voor de problemen die hun dochters veroorzaakten, alleen keek hij er anders tegenaan dan zij deed. Dat was geen reden om hem verwijten te maken. Ondanks alles wist Amanda dat ze op hem terug kon vallen als dat nodig was. Ze wist dat hij van haar hield en haar zou steunen. Andersom moest dat ook gelden. Het moest niet zo zijn dat ze verzandden in het soort relatie waarin zij als het kwetsbare vrouwtje op haar sterke man leunde. Ze waren gelijkwaardig en dat moest zo blijven.
Meteen de volgende dag al ging Amanda op zoek naar werk, eigenlijk zonder een idee te hebben van wat ze wilde. Een beroepsopleiding had ze nooit gevolgd. Na haar middelbare school had ze een tijdje op de postkamer van een telefoonbedrijf gewerkt, daarna was ze met Rudi getrouwd en was ze al heel snel in verwachting geraakt. Vergeleken bij haar kindje stelde haar baan absoluut niets voor en ze had hem dan ook zonder spijt opgezegd. Speciale talenten bezat ze ook niet, dacht ze spijtig terwijl ze de kolom 'personeel gevraagd' in de krant bekeek. Vraag naar schoonmaaksters was er genoeg, maar daar had ze geen zin in. Schoonmaken deed ze al genoeg in haar eigen huis, al had ze dan een werkster voor de grote klussen. De rubriek 'winkelpersoneel' bracht haar op een idee. Ze las ontzettend graag en heel veel, misschien zou ze het kunnen proberen als verkoopster in een boekenwinkel. Ze had een behoorlijk brede interesse op dat gebied, want ze beperkte zich niet slechts tot één genre.
Voortvarend als ze was, stelde Amanda op de computer een open sollicitatiebrief op, die ze een aantal malen kopieerde en vervolgens naar diverse boekhandels in hun stad stuurde. De meeste zaken namen niet eens de moeite een antwoord te stu-

ren en twee winkels wezen haar via een brief vriendelijk af. Maar een groot warenhuis in het centrum liet weten prijs te stellen op een persoonlijk gesprek. Zonder iets tegen haar gezinsleden te zeggen, ging Amanda daar op de afgesproken dag met bonkend hart heen. Dit was haar eerste sollicitatie sinds tweeëntwintig jaar.
De personeelschef ontving haar ongedwongen. „Ah, mevrouw Veerman," zei hij terwijl hij met uitgestoken hand op haar toe kwam. „Mag ik Amanda zeggen? Ik ben Roel Verkerk. Kom binnen." Hij hield de deur van zijn kantoor wijd open en Amanda voelde haar zenuwen van haar afvallen. Ze had verwacht dat het er heel formeel aan toe zou gaan, maar deze Roel Verkerk stelde haar direct op haar gemak. Het leek er meer op dat ze een gezellig praatje hielden dan dat het een officieel sollicitatiegesprek betrof.
„Je hebt een open sollicitatie gestuurd," opende Roel het gesprek. „En ik moet zeggen dat een dergelijke aanpak mij altijd wel bevalt. Het toont in ieder geval aan dat je graag wilt werken. Eens kijken." Hij nam haar brief nog een keer vluchtig door. „Je geeft aan dat je niet meer dan twaalf uur per week wilt werken."
„Ik heb een gezin met twee bijna volwassen dochters en twee zoontjes van vier en zes jaar," vertelde Amanda ongedwongen. „Tijdens de schoolvakanties is de opvang van mijn twee jongsten geen bezwaar, maar ik wil niet dat ze hun oppas vaker zien dan hun eigen moeder."
Roel knikte. „Maar buiten de schoolvakanties zou je dus wel meer uren kunnen draaien?" vroeg hij rechtstreeks.
Amanda aarzelde even. Ze had thuis genoeg te doen en vond twaalf uur eigenlijk wel genoeg. Aan de andere kant wilde ze deze kans niet zomaar laten lopen, want het zou niet eenvoudig zijn om een leuke baan te vinden. Misschien zou Gaya, haar werkster, in de toekomst vaker willen komen. Ze betaalde haar studie door middel van particuliere schoonmaakadresjes en iedere extra euro was welkom voor haar. „Als het niet anders kan, valt daar natuurlijk altijd over te praten," antwoordde ze diplomatiek.

„We zijn op zoek naar een parttime kracht voor onze boekenafdeling, maar die functie is voor vier ochtenden per week plus de wekelijkse koopavond. In de weekenden hebben we scholieren werken, dus dan ben je in principe vrij, uitzonderingen daargelaten. Kijk, in geval van ziekte of vakantie moeten we natuurlijk wel op je kunnen rekenen, ook als het buiten de vaste uren valt," zei Roel.
„En wat zouden die vaste uren worden?" informeerde Amanda zakelijk.
„Van dinsdag tot en met vrijdag, van tien tot twee uur en daarbij de koopavond van vijf tot negen. Twintig uur in totaal dus, met uitzondering van de schoolvakanties. Bij deze firma hebben we begrip voor de problemen van werkende moeders. In die periodes werken onze zaterdaghulpen altijd extra. Wat denk je ervan?" Roel keek haar vragend aan. „Ik moet eerlijk zeggen dat ik jou graag wil hebben voor deze baan. Uit je brief maak ik op dat je van boeken houdt en er verstand van hebt. Zo iemand kunnen we goed gebruiken."
„Ik doe het," besloot Amanda impulsief. Twintig uur vond ze eigenlijk te veel, maar deze kans was te mooi. Je hoorde niet anders dan dat mensen klaagden over het feit dat ze geen baan konden vinden en zij kreeg het praktisch in haar schoot geworpen. Bovendien streelde het haar ijdelheid dat deze man zo openlijk toegaf dat hij haar graag in dienst wilde nemen. Ze kon dus wel degelijk meer dan slechts huissloofje spelen voor haar gezin, dacht ze even triomfantelijk. Dat was een geweldige oppepper voor haar zelfvertrouwen. Ze had nooit verwacht dat haar pogingen zo snel succes zouden hebben, dus die acht uur per week meer moest ze dan maar voor lief nemen. In ieder geval kon ze het proberen, als het echt teveel werd, viel daar altijd over te praten.
Nadat alle zakelijke afspraken waren gemaakt, huppelde Amanda meer dan dat ze liep naar huis. Ze had een baan, een echte baan! Twintig jaar had ze niet gewerkt en nu was haar eerste sollicitatie direct raak! Ze was benieuwd naar de gezichten van haar gezinsleden als ze hun dit vertelde. Om het te vieren kocht ze onderweg een grote slagroomtaart en ze besloot

overmoedig om die avond niet te koken, maar om pizza's te laten bezorgen. Vooral Elvira en Alexandra waren daar dol op, maar omdat Rudi er niet zo van hield, deden ze het niet zo vaak. Elvira en Alexandra waren eerder thuis dan Rudi, maar met moeite hield Amanda haar nieuws voor zich tot ook hij er was en het gezin compleet was.
„Heb je niet gekookt?" vroeg Rudi verbaasd.
„Ik trakteer vandaag op pizza," zei Amanda. „Ik heb namelijk iets te vieren." Ze keek naar de verwachtingsvolle gezichten die naar haar toe gedraaid werden en kon het niet langer voor zich houden. „Ik heb een baan!" zei ze trots.
„Een baan? Fantastisch," reageerde Rudi enthousiast. „Waar?"
Amanda noemde de naam van het warenhuis en vertelde wat er allemaal besproken was tijdens het gesprek. „Het zijn dus wel meer uren dan ik eigenlijk wilde, maar ik ga het in ieder geval proberen. Tijdens de koopavonden moet ik al vroeg weg, maar dan kunnen Elvira en Alexandra bij de kleintjes blijven tot jij thuis bent," besloot ze.
„Ik pieker er niet over!" zei Elvira fel. „Als jij zo nodig wilt werken is dat jouw probleem, niet het mijne. Ik ben echt niet van plan om gratis oppas te worden hier in huis."
„Zeg, matig jij je toon een beetje," waarschuwde Rudi haar. „Jullie zouden trots moeten zijn op je moeder, het valt heus niet mee om na ruim twintig jaar een baan te vinden."
„Daar hoeven wij toch niet voor op te draaien?" meende Elvira kattig.
„Ik verwacht wel wat hulp van jullie," zei Amanda. „Gaya zal waarschijnlijk wel wat vaker willen komen, maar daarmee zijn we er niet. We zullen allemaal een stapje harder moeten lopen om de boel hier draaiende te houden."
„Waarom?" kwam Alexandra nu ook. „Waarom moet je nou ineens zo nodig gaan werken? Het gaat toch prima zo?"
„Jij bent anders altijd degene die vindt dat vrouwen iets moeten bereiken," hielp Amanda haar fijntjes herinneren. „Zelf wil je geen huissloofje worden, zoals je het altijd uitdrukt, maar je vindt het dus wel makkelijk als je moeder dat wel is. Een moeder hoeft zich blijkbaar niet te ontwikkelen."

„Iets bereiken ja, dat is wat anders dan een simpel bijbaantje," zei Alexandra hatelijk.
„Jullie worden bedankt voor jullie steun," zei Amanda stroef. Ze beet op haar lip in een poging haar teleurstelling te verbergen. Ze had verwacht dat haar dochters trots op haar zouden zijn, maar ze had natuurlijk beter moeten weten. Die twee hadden altijd commentaar en kritiek, ongeacht wat ze deed.
„Ik zal zorgen dat ik voortaan op donderdag vroeg thuis ben," beloofde Rudi. „Die uren haal ik op andere dagen wel weer in. Dan hebben we in ieder geval geen oppas nodig op donderdag. Geen betaalde en geen gratis," voegde hij daaraan toe met een boze blik op zijn oudste dochter.
Elvira stond op en liep zwijgend de kamer uit, gevolgd door Alexandra.
„Waarom doen ze nou zo?" vroeg Amanda zich verdrietig af.
„Ze hebben er de pest in omdat een baan voor jou extra klusjes voor hen meebrengt," wist Rudi. „Trek het je niet aan, schat. Ik ben in ieder geval trots op je."
Amanda nestelde zich tegen hem aan en trok meteen Timo op schoot. Bennie kroop er snel naast, bang dat zijn broer meer aandacht zou krijgen dan hij. Amanda zou van dit intieme familietafereeltje genoten hebben als Elvira en Alexandra zich niet zo bot hadden opgesteld. Even vroeg ze zich af of ze die baan wel aan moest nemen als het ten koste zou gaan van de sfeer in huis, maar meteen voelde ze strijdlust in zich opkomen. Die twee dochters van haar wisten de sfeer ook aardig te verzieken zonder dat hun moeder een baan had, dus daar lag het niet aan. Ze besloot ze in hun sop gaar te laten koken en zich er niets van aan te trekken. Vanaf nu ging ze wat vaker aan zichzelf denken.
„Zullen we shoarma bestellen?" vroeg ze aan Rudi, wetend dat hij daar dol op was.
„Je zei toch pizza?"
„Voor Elvira en Alexandra,, maar die hebben het eventjes voor zichzelf verpest. We nemen shoarma en als het ze niet bevalt eten ze maar niet," zei Amanda resoluut.
Rudi lachte. „Goed zo, je begint het al te leren," zei hij tevreden.
Elvira en Alexandra zaten ondertussen zwijgend in Elvira's

kamer, Elvira met een verbeten trek om haar mond en Alexandra met angstige ogen.
„Dus voortaan is ze iedere donderdagavond weg," zei ze toonloos.
„Wij dus ook," zei Elvira grimmig. „Kop op, zus. We laten ons niet klein krijgen, hoor. Mama zal wel zo rond halftien thuis zijn die avonden, dus als wij om tien uur thuis komen is er niets aan de hand." Troostend sloeg ze haar arm om Alexandra's schouder. „We slaan ons er samen wel doorheen." Het klonk als een belofte.
Onbewust van dat gesprek tussen haar dochters en de betekenis daarvan pakte Amanda de telefoon om het eten te bestellen. Het was jammer dat haar dochters zo reageerden, maar ze was niet van plan om dat haar goede stemming te laten verpesten. Ze had een baan en haar man was trots op haar, dat was veel belangrijker dan de mening van twee opstandige pubers die bang waren dat ze ook eens een klusje in huis moesten doen.

HOOFDSTUK 3

Amanda wende sneller dan ze verwacht had in haar nieuwe baan. Het contact met de klanten beviel haar goed en tussen de boeken voelde ze zich als een vis in het water. Ook met haar collega's ging ze prettig om, wat de aanpassing aanzienlijk versnelde. Ze betrapte zichzelf er zelfs op dat ze het heerlijk vond om bezigheden buitenshuis te hebben en om eindelijk weer eens gewoon Amanda te zijn in plaats van mama. Gaya had zich bereid getoond om een extra middag te komen, zodat er thuis weinig veranderde. Amanda wilde zo min mogelijk aan haar dochters vragen, omdat ieder verzoek om hulp ontaardde in ruzie. Elvira en Alexandra weigerden mee te werken aan de veranderde omstandigheden thuis en er vielen regelmatig woorden over Amanda's baan. In het begin speelde Amanda vaak met de gedachte om er maar weer mee te stoppen, maar Rudi wist haar ervan te overtuigen dat dat onzin zou zijn en eigenlijk was ze het daar wel mee eens.
De twee kleintjes gaven geen problemen. Ze bleven vier dagen per week over op school, maar dat vonden ze alleen maar leuk. Tijdens vakanties zou Amanda maar twee ochtenden gaan werken en die uren paste Gaya op. Rudi hield zich aan zijn belofte om op donderdag vroeg thuis te komen, zodat alles soepel verliep. De enkele keer dat hij niet op tijd thuis kon zijn voor Amanda de deur uit moest, was de buurvrouw altijd bereid om even in te springen. Amanda vond het vervelend om het haar te vragen, vooral omdat ze zelf twee dochters had die makkelijk even op hun broertjes konden passen, maar de buurvrouw vond het geen enkel probleem.
Elvira en Alexandra waren een zwijgend offensief begonnen. Op donderdag at Amanda om vier uur met Timo en Bennie en maakte ze voor Rudi, Elvira en Alexandra een maaltijd apart die ze alleen maar in de magnetron op hoefden te warmen. Het was echter nog geen enkele keer voorgekomen dat Elvira en Alexandra thuis gegeten hadden tijdens de koopavonden. Zonder het te bespreken, kwamen ze die dag simpelweg niet thuis uit school. Pas 's avonds om een uur of tien kwamen ze

weer binnen, als Amanda alweer thuis was van haar werk. Ruzies daarover hadden er niets aan veranderd en Amanda had het uiteindelijk opgegeven. Als die meiden zo kinderachtig wilden zijn, gingen ze hun gang maar, dacht ze opstandig. Waarschijnlijk dachten ze op die manier hun moeder te dwingen haar baan op te geven en zo alsnog hun zin te krijgen, maar ze was toch niet van plan om zich te laten manipuleren door haar dochters. Nu ze eenmaal weer in het arbeidsproces zat, beviel dat haar veel te goed om alles weer terug te draaien. Amanda had er absoluut geen spijt van dat ze jarenlang fulltime moeder en huisvrouw was geweest, maar nu zat ze in een andere fase van haar leven. Het werken buiten de deur en het verdienen van haar eigen salaris, al was het bescheiden, gaven haar voldoening, daar konden twee lastige puberdochters niets aan veranderen.
Amanda's eerste loon ontving ze een week voor Elvira's achttiende verjaardag en ze besloot dat geld te spenderen aan een feestje voor haar oudste dochter. Een achttiende verjaardag was iets speciaals, dat moest uitgebreid gevierd worden, vond Amanda. Bovendien had ze altijd veel werk van de kinderverjaardagen gemaakt en ze wilde niet dat Elvira het idee kreeg dat dergelijke dingen niet meer belangrijk waren nu haar moeder werkte. Op haar vrije maandag reed ze dan ook een aantal keren heen en weer naar de supermarkt om een flinke voorraad eten en drinken in te slaan. Jongeren van die leeftijd konden aardig wat op, wist ze uit ervaring.
„Ga je een eigen winkel beginnen?" vroeg Elvira toen Amanda voor de derde keer met een paar volle boodschappentassen het huis binnen kwam.
„Dit is allemaal voor jouw verjaardag," vertelde Amanda opgewekt. „Zoals je ziet hoef je niet bang te zijn dat er te weinig is als je vrienden en vriendinnen komen."
„Voor mijn verjaardag?" echode Elvira. Ze trok haar wenkbrauwen hoog op.
„Ja schat, volgende week. Je wordt achttien, de vergeetachtigheid slaat al vroeg toe bij jou," plaagde Amanda. Ze pakte de laatste tas uit en zette water op voor een kop thee. Dat had ze

wel verdiend en het kon nog net voor ze de jongens van school moest halen.
„Ik was helemaal niet van plan om iemand uit te nodigen," zei Elvira.
„Waarom niet? Je wordt achttien, dat is een mijlpaal."
Elvira snoof. „Hoera," zei ze cynisch. „Het enige dat ik daar prettig aan vind is dat ik niet meer naar die achterlijke school hoef en zelf mijn leven kan gaan inrichten. Dan hebben jullie niets meer over me te vertellen." Dat laatste klonk triomfantelijk, maar Amanda ging daar wijselijk niet op in.
„Doe niet zo ongezellig," zei ze alleen. „Natuurlijk vieren we je verjaardag gewoon."
„Voor mij hoeft het niet. Niemand van mijn leeftijd viert zijn verjaardag gewoon thuis met zijn vrienden, dat is veel te kinderachtig. Geef me maar gewoon geld, dan ga ik die avond stappen met wat lui."
Amanda zuchtte. Ze deed het nooit meer goed, bedacht ze moedeloos. Ze had verwacht dat Elvira enthousiast zou zijn, maar waarschijnlijk had haar dochter gelijk. Feestjes thuis waren ouderwets, daar hoefde je niet meer mee aan te komen bij de jeugd.
„Als jij dat wilt," zei ze dan ook. „Heb je trouwens nog speciale wensen wat betreft je cadeau?"
„Ook geld," antwoordde Elvira onmiddellijk. „Dan koop ik zelf wel wat, jullie smaak is toch de mijne niet. Trouwens, ik heb gesolliciteerd bij een bejaardentehuis, als medewerkster bij de algemene dienst. Er waren nog twee sollicitanten, maar ik denk wel dat ik aangenomen wordt. Morgen hoor ik het, dan zeg ik meteen die stomme school vaarwel."
„Wacht eerst die uitslag van dat gesprek maar af," raadde Amanda haar aan.
„O, dat zit wel goed," zei Elvira vol zelfvertrouwen. „Mijn huiswerk maak ik vandaag maar niet, zonde van de tijd." Ze grijnsde.
„Alsof je dat huiswerk ooit wel heb gemaakt." Amanda kon het niet nalaten dit te zeggen, maar Elvira reageerde er niet op. Die zag haar nieuwe toekomst als werkende vrouw al helemaal zit-

ten. Terwijl Amanda zich afvroeg wat er fout was gegaan in hun opvoeding dat hun dochters zich zo dwars opstelden tegen alles wat zij wilden, zat Elvira wilde plannen te maken voor haar toekomst.
„Mijn spaargeld loopt al aardig op," vertrouwde ze Alexandra toe. „Met het geld dat ik voor mijn verjaardag krijg erbij plus geld voor een feestje, waarvan ma denkt dat ik dat ga houden in een discotheek, wat ik uiteraard niet van plan ben, is het al een heel bedrag. Genoeg om een kamer in te richten. Zodra ik een vaste aanstelling heb, ga ik het huis uit."
„Dan ga ik ook," zei Alexandra onmiddellijk. „Ik blijf hier echt niet zonder jou."
„Jij bent nog geen achttien."
„Nou en? Ik ben bijna zeventien, ze kunnen me echt niet tegenhouden."
„Ze kunnen de politie achter je aan sturen."
„Die lacht ze hartelijk uit. Trouwens, dat doet pa niet." Het klonk zelfverzekerd, maar ze keek haar zus met angstige ogen aan. „Dat denk jij toch ook?" vroeg ze om bevestiging.
Elvira schudde langzaam haar hoofd. „Waarschijnlijk niet, nee. In ieder geval kom je anders heel vaak bij mij logeren. Ik koop wel zo'n bed met een onderschuifbed erbij, dan heb je altijd een plek waar je terecht kunt."
„Ik heb een vriendje," vertelde Alexandra ineens. „Hij heet Arjen en is tweeëntwintig. Hij heeft een eigen flat in het centrum. Wel klein, maar als het moet groot genoeg voor ons tweeën."
„Bedoel je dat je wilt gaan samenwonen?" vroeg Elvira verbaasd.
„Alles is beter dan hier moeten blijven, zeker als jij ook weggaat. Ik weet zeker dat Arjen het goed vindt als ik het voorstel."
„Jij liever dan ik." Elvira rilde. Zij hield zich helemaal niet bezig met mannen of verliefdheden. Ze verlangde ernaar om zelfstandig te zijn en zelf haar leven in te richten, daar had ze geen man bij nodig. Mannen betekenden alleen maar ellende, dacht ze bitter.
Onbewust van de wilde plannen van haar dochters haalde

Amanda Bennie en Timo uit school, waarna ze de rest van de middag doorbracht met spelen met haar zoons. Ze hield ervan om met de kinderen bezig te zijn en genoot van de huiselijke sfeer. Gelukkig had die niet te lijden onder haar werk, dacht ze tevreden. Hoezeer ze het ook naar haar zin had in het warenhuis, als het ten koste zou gaan van haar gezin zou ze er onmiddellijk mee stoppen. Haar man en kinderen waren nu eenmaal het belangrijkste in haar leven.

Zoals ze al verwacht had, werd Elvira inderdaad aangenomen bij het bejaardentehuis. Als medewerkster van de algemene dienst was ze inzetbaar op afdelingen als de eetzaal, het winkeltje, de linnenkamer en het magazijn. Het werk beviel haar prima. Ambities om verder te leren en carrière te maken bezat ze niet, in tegenstelling tot Alexandra. Een gezellige baan, een redelijk salaris en vooral haar vrijheid, dat waren zaken die Elvira wilde en die ze nu bijna alledrie bereikt had. Alleen die vrijheid nog en daar werkte ze hard aan. Ze was verstandig genoeg om te wachten tot haar proeftijd om was, maar daarna was er niets meer dat haar tegenhield. Zonder het aan haar ouders te vertellen, huurde ze een kamer in een oud herenhuis, waar merendeels studenten in gehuisvest waren. De douche en het toilet moest ze delen met de andere bewoners, maar in haar kamer had ze een piepklein keukentje voor zichzelf, dat haar voorgangster erin had laten maken. Het was niet meer dan een aanrechtblad met gootsteen en een vierpits gasstelletje, maar het was genoeg voor Elvira. De kamer was ruim genoeg om haar zusje te logeren te hebben en niet zo duur dat ze financiële steun van thuis nodig had. Als ze zelfstandig wilde zijn, moest ze het goed doen, vond Elvira. Ze was absoluut niet van plan om bij haar ouders aan te kloppen. Dankzij de onregelmatige uren die ze werkte, lag haar salaris hoger dan het minimumloon en na aftrek van de vaste lasten hield ze net genoeg over om te eten en af en toe wat kleding te kunnen kopen. Geen vetpot, maar daar verlangde ze ook niet naar. Materiële welstand was betrekkelijk, dat had ze in haar ouderlijk huis wel gemerkt. Geld was daar in ruime mate aanwezig, maar gelukkig was

ze er al jaren niet meer. Niet meer sinds... Nee, niet aan denken, hield ze zichzelf voor. Dat was verleden tijd, het had geen enkel nut meer om daar nog over te piekeren. Nog een paar dagen, dan woonde ze op zichzelf en kon ze alles achter zich laten.
Van haar spaargeld kocht ze in een kringloopwinkel wat noodzakelijke meubelstukken en serviesgoed, de rest kwam later wel. Pas toen haar kamer klaar was, besloot ze het aan haar ouders te vertellen. Alles was nu geregeld, niemand kon haar meer tegenhouden. Als de boel uit de hand mocht lopen thuis, kon ze hier onmiddellijk in en hoefde ze niet bij haar ouders te blijven tot ze een plek had waar ze heen kon, dacht Elvira tevreden. Ze was trots op zichzelf dat ze dit allemaal voor elkaar gekregen had zonder hulp van volwassenen. Het sterkte haar in haar mening dat ze zich prima zou redden. De enige die op de hoogte was van haar plannen was Alexandra, die zelf ook druk bezig was met het doorvoeren van grote veranderingen in haar leven.
„Arjen vindt het prima dat ik bij hem intrek," vertelde ze aan Elvira. „Ik hoef alleen mijn kleding en persoonlijke spullen maar mee te nemen, de rest heeft hij."
„Mooi, dan is alles geregeld en kunnen we het aan ma en pa gaan vertellen. Zullen we dat straks meteen maar doen?"
„Zodra de jongens op bed liggen," dacht Alexandra. Ze tikte nerveus met haar vingers op haar bureaublad. „Hoe zullen ze reageren?"
„Kwaad, denk ik," zei Elvira nuchter. „Maar ze kunnen er niets meer aan veranderen. Ik ben in ieder geval niet van plan om me tegen te laten houden. Ik ben achttien, ze kunnen me niets maken."
„Maar ik niet," zei Alexandra benauwd. Al die tijd dat ze bezig was geweest met plannen maken, leek het zo gemakkelijk, maar nu zag ze er ineens als een berg tegenop om haar ouders hiermee te confronteren. „Gaan we vertellen van eh...? Je weet wel."
Elvira haalde haar schouders op. „We zien wel hoe het gesprek loopt," antwoordde ze vaag.

„Ik vind het zielig voor mama," zei Alexandra opeens. „Die weet helemaal nergens van, het zal een behoorlijke klap voor haar zijn."
„Daar heeft ze het zelf ook naar gemaakt," oordeelde Elvira hard. „Ze speelt het brave huisvrouwtje en doet net alsof alles hier perfect is, maar ondertussen..." Ze slikte. Er sprongen tranen in haar ogen, die ze manmoedig probeerde tegen te houden. Ze wilde niet huilen, er was geen enkele reden toe. Ze ging haar eigen leven oppakken, dat was iets positiefs.
„Ze weet nergens van, echt niet," zei Alexandra.
„Dat is dan knap stom van haar." Elvira's stem klonk spottend. Ze wist dat ze zich nu hard moest opstellen, anders zou ze gaan huilen en dat was het laatste dat ze wilde. Ze stond op en begon wat spullen bij elkaar te zoeken die ze mee wilde nemen naar haar nieuwe huis. Haar zenuwen stonden tot het uiterste gespannen, ze voelde zich opgefokt en gejaagd. In deze gemoedstoestand was het onmogelijk om stil te blijven zitten. Het was echter nog te vroeg om naar beneden te gaan en het gesprek te beginnen. Bennie en Timo liepen nog rond en Elvira wilde niet dat zij getuigen zouden zijn van wat er ongetwijfeld zou komen.
Ze kon zich de reactie van haar moeder levendig voorstellen. Ze zou kwaad, verdrietig en teleurgesteld zijn en waarschijnlijk ook gaan huilen. Nou, ze huilde maar een eind weg. Zij, Elvira, had daar geen boodschap aan! Van haar vader verwachtte ze minder tegenstand. Die zou wellicht alleen maar blij zijn dat zijn dochters het huis uit zouden gaan en hij ze niet meer iedere dag hoefde te zien, dacht ze cynisch.
„Doen we hier wel goed aan, Elvira?" vroeg Alexandra nerveus.
„Ik kan niet voor jou spreken, maar ik ga in ieder geval weg," zei Elvira vastbesloten. „De spanning hier in huis kan ik niet meer aan. Iedere dag die angst dat het weer opnieuw begint, steeds de onzekerheid hoe ik me op moet stellen, het vluchten op de avonden dat mama niet thuis is, ik red het niet meer. Vanaf morgen woon ik in mijn eigen huis, dan is die spanning weg. Wat jij wil doen, moet je natuurlijk zelf weten."
„Je weet best dat ik hier niet blijf zonder jou. Het is alleen...

Nou ja, het is ineens allemaal zo écht, zo definitief." Met tranen in haar ogen keek Alexandra haar zus aan.
Elvira voelde een licht schuldgevoel opkomen. Alexandra was pas zeventien, deed ze er wel goed aan om haar zusje hierin mee te slepen? Aan de andere kant, ze kon niet thuis blijven wonen tot ook Alexandra oud genoeg was, dat trok ze niet meer.
Het werd hoog tijd dat ze eens voor zichzelf koos. Alexandra kon terecht bij Arjen, ze was niet alleen. Mocht dat fout lopen, dan kon ze altijd bij haar, Elvira, intrekken. Spontaan sloeg ze haar armen om Alexandra heen.
„We gaan het redden, hoor je," sprak ze dringend. „We zijn dan wel jong, maar niet achterlijk. We gaan op eigen benen staan en dat is duizendmaal beter dan hier blijven met alles wat er gebeurd is. Je kunt altijd op mij terugvallen als er iets is, vergeet dat nooit."
„Oké." Alexandra lachte door haar tranen heen. „Daar houd ik je aan." Met een plechtig gebaar schudden ze elkaar de hand, om daarna zenuwachtig in de lach te schieten. De spanning liep bij allebei hoog op.
Eindelijk hoorden ze aan de geluiden in huis dat Timo en Bennie in bed gelegd werden. Zodra ze hun moeder weer naar beneden hoorden lopen, gingen ze achter haar aan. Amanda was verbaasd toen ze zag dat hun dochters zich bij hen in de huiskamer voegden, maar liet dat niet merken.
„Jullie ook koffie?" vroeg ze zo gewoon mogelijk.
„Ik schenk het wel in." Elvira sprong overeind en liep naar de keuken, direct gevolgd door Alexandra.
„Zo, wat een behulpzaamheid opeens. Ik weet niet wat me overkomt," grinnikte Amanda tegen Rudi. Ze nam plaats op de bank en bladerde in de televisiegids om te kijken hoe laat de film die ze wilde zien zou beginnen. Negen uur, zag ze. Het was nu kwart over acht, dus was er tijd genoeg om gezellig met zijn vieren een kop koffie te drinken.
Het leek erop dat Elvira en Alexandra zich nu eens niet terug zouden trekken in hun eigen kamers, maar dat ze gezellig beneden bleven. Een ongekende situatie. Zou er dan toch eindelijk

eens verbetering op gaan treden in hun gedrag? Vooral Elvira had toch zo langzamerhand de leeftijd om dat puberale te ontgroeien. Het zou wel fijn zijn, want die eeuwige ruziesfeer zodra haar dochters in de buurt waren, begon haar knap de keel uit te hangen.
Elvira zette even later een dienblad gevuld met de thermoskan, kopjes, suiker en melk neer op de lage salontafel. „Koffie," kondigde ze ten overvloede aan.
„Lekker, dank jullie wel." Amanda glimlachte naar haar dochters, vast van plan om hier een gezellig uurtje van te maken. „Hoe was het vandaag op je werk?" informeerde ze bij Elvira. „Bevalt het je nog steeds?"
„Prima," verzekerde die haar. „Mijn proeftijd is inmiddels voorbij en ze willen me graag houden."
„Hoe is het mogelijk," merkte Rudi plagend op, maar Elvira negeerde hem. Ze bleef haar moeder aankijken.
„Wat me op het volgende brengt: nu ik verzekerd ben van werk, wil ik op mezelf gaan wonen. Ik heb een kamer met eigen keukentje en gebruik van douche en toilet gehuurd."
„En ik ga bij mijn vriendje wonen," gooide Alexandra daar haastig en weinig tactisch doorheen. Ze struikelde zowat over haar eigen woorden in haar haast ook haar nieuwtje te vertellen, want ze kon het niet meer voor zich houden. De spanning in haar lichaam had inmiddels het hoogtepunt bereikt.
„Jullie zijn gek," bracht Amanda met moeite uit. Haar kopje, dat ze net van het blad gepakt had, zette ze met trillende handen weer neer. Deze botte mededelingen overvielen haar.
„Ik ben oud genoeg," zei Elvira kalm.
„Je bent achttien, dat is veel te jong om op jezelf te wonen. En jij..." Ze wendde zich naar Alexandra. „Dat plan kun je zeker uit je hoofd zetten, jongedame. Daar komt absoluut niets van in. Over welk vriendje heb je het trouwens? Nog steeds Marcel of alweer een ander?"
„Hij heet Arjen," vertelde Alexandra onwillig.
„Alweer een ander dus, iemand die wij niet eens kennen. Daar praten we dus niet eens meer over," zei Amanda kortaf.
„Over mijn plannen hoef je ook niet meer te praten, want ze

staan al vast. Ik verhuis morgen," zei Elvira beslist.
„Daar geef ik geen toestemming voor." Amanda zat inmiddels op het puntje van de bank, geschokt door deze onverwachte wending aan wat een gezellige avond had moeten worden. „Rudi, zeg ook eens wat."
„Elvira is achttien, we kunnen haar niet tegenhouden," was zijn mening.
„Daar heb ik ook niets aan. Houd liever je mond als je niets zinnigs te melden hebt," zei Amanda vinnig en onlogisch. „Wat is dit ineens voor plotselinge samenzwering?"
„De kamer is al gehuurd en ingericht. Ik ben hier al een tijdje mee bezig," vertelde Elvira rustig. Nog steeds keek ze haar vader niet aan.
„En dat vind je normaal?" vroeg Amanda sarcastisch. „Je beschouwt jezelf als volwassen, maar een redelijk gesprek over zoiets belangrijks vind je niet nodig? Dat bewijst alleen maar dat je nog een kind bent."
„Nee, dat bewijst dat ik prima in staat ben om dergelijke zaken zelf te regelen. We hoeven hier niet over te discussiëren, mam. Morgen ben ik weg."
„Zomaar ineens?" Amanda's lip begon te trillen. Hulpzoekend keek ze naar Rudi, die nerveus aan een sigaret trok. Hij ontweek haar blik.
„Laat ze maar gaan als ze dat zo nodig willen," zei hij. „Misschien is dat wel beter en keert de rust hier in huis terug. Het zal ze knap tegenvallen, dat geef ik je op een briefje."
„Wat bedoel je?" Amanda raakte steeds meer in paniek. Wat gebeurde hier allemaal?
Alsof het nog niet genoeg was dat Elvira eventjes tussen neus en lippen door zo'n mededeling deed, viel Rudi haar ook nog eens af. En wat bedoelde hij in vredesnaam met 'ze'? Elvira was misschien niet tegen te houden, maar hij moest niet denken dat ze Alexandra toestemming zou geven voor dat onzalige plan van haar.
Kalmerend legde Rudi een hand op haar arm. „Maak je niet zo overstuur," zei hij. „We wisten dat deze dag eraan zat te komen. Kleine meisjes worden nu eenmaal groot."

„Natuurlijk, maar niet zo. Niet op deze manier." Ze keek naar Elvira. „Ik vind het laf van je om het op deze manier ter sprake te brengen. Als je had gezegd dat je dergelijke plannen had, hadden we er normaal over kunnen praten."
„Alsof praten iets oplost of verandert. Jullie weten het nu, dat is genoeg," merkte Elvira koeltjes op.
„Dat geldt voor mij ook," zei Alexandra. Hoewel ze inwendig zat te bibberen, was ze niet van plan om toe te geven. „Ik trek morgen bij Arjen in."
„Vergeet het maar!" Amanda stoof op, duidelijk woedend. „Ik bind je nog liever vast in je kamer! Hoe kom je aan dergelijke, stomme gedachten? Je bent verdorie net zeventien."
„Als jullie geen toestemming geven, loop ik weg," zei Alexandra koppig. Ze hield haar hoofd fier omhoog, maar Elvira zag de paniek in haar ogen groeien.
„Jullie zijn echt niet wijs!" bracht Amanda met moeite uit. Zwaar ademend keek ze van de één naar de ander. Ze zag Elvira's onverzettelijke ogen, Alexandra's nerveus trekkende mond en Rudi, die haar blik vermeed. Er speelde meer, veel meer, wist ze opeens heel zeker. Angst dreigde bezit van haar te nemen, een angst die ze niet onder woorden durfde te brengen.
„Rudi?" vroeg ze onzeker.
„Laat hij zijn mond maar houden!" zei Elvira hard. Ze richtte haar ogen nu op haar vader. „Of wil je soms vertellen waarom wij zo nodig het huis uit willen? Of liever gezegd, het huis ontvluchten? Ga je gang maar!"
„Elvira, wat bedoel je?" vroeg Amanda in paniek. Dit was zo bedreigend en beangstigend.
„Wat ik bedoel, lieve mama?" Het klonk ronduit sarcastisch. Alexandra probeerde haar zus nog tegen te houden, maar Elvira was nu door het dolle heen. „Wat ik bedoel is dat jouw geliefde echtgenoot zijn handen niet thuis kon houden. Als jij 's avonds niet thuis was, speelde hij zijn smerige spelletjes met ons, zijn dochters! Jarenlang heeft hij ons betast en lastig gevallen. Begrijp je nu waarom we weg willen?" De laatste woorden schreeuwde ze de kamer in.
Amanda sloeg ontzet haar hand voor haar mond. Nee, dit niet!

Alles kon ze verdragen, maar niet dit! Ze opende haar mond, maar ze was niet bij machte om een woord uit te brengen. Als in een mist zag ze haar dochters en haar man zitten. Haar gezin. De hele kamer leek om haar heen te draaien op dat moment.

HOOFDSTUK 4

Ze wist achteraf niet te vertellen hoe lang de stilte geduurd had. Amanda was totaal verbijsterd en lamgeslagen door de beschuldiging van Elvira. Rudi zat erbij alsof het hem allemaal niet aanging, Alexandra zat als een zielig vogeltje in elkaar gedoken op haar stoel en Elvira's gezicht stond vertrokken. Strak staarde ze naar de grond.

„Waarom?" snikte Alexandra, daarmee de stilte verbrekend. „Waarom heb je het gezegd, Elvira?"

„Omdat het de waarheid is," zei Elvira mat. „We hebben jarenlang onze mond gehouden, eens komt het moment dat dat niet meer lukt. Voor mij was dat vanavond."

„Ik geloof dat ik gek word," fluisterde Amanda ontzet. Ze richtte haar ogen op Rudi. De man waar ze van hield. De man die zijn eigen dochters...? Dat kon toch niet? Hield ze dan al twintig jaar van een monster, zonder het te merken? „Rudi, wat is hier van waar?" vroeg ze hulpeloos.

Rudi deed zijn mond open om antwoord te geven, maar Elvira was hem voor. Ze sprong overeind en keek haar moeder met vuurspuwende ogen aan. „Geloof je me soms niet?" schreeuwde ze. „Als hij nu zegt dat ik loop te liegen, wat dan? Kruip je dan vanavond lekker naast hem in bed en kan ik verrekken? Ik zeg dit niet zomaar, het is de pure waarheid. En jij had dit moeten voorkomen, je bent onze moeder!" Elvira had haar laatste restje zelfbeheersing opgebruikt. Ze barstte in snikken uit en het was Alexandra die haar armen om haar heen sloeg en haar troostte. Amanda was te lamgeslagen om zelfs maar te bewegen.

„Zo bedoelde ik het niet," zei ze moeizaam. „Ik trek je woorden niet in twijfel, ik ben alleen zo geschokt dat ik niet eens kan bevatten wat hier gebeurt."

„O, dus je gelooft die beschuldigingen onmiddellijk?" kwam Rudi nu. Het was het eerste wat hij erover zei.

„Ik ga er in ieder geval vanuit dat Elvira zulke dingen niet verzint," zei Amanda. „Ik weet niet wat er precies gebeurd is, maar het is wel duidelijk dat hier een heleboel speelt."

„Ik heb ze nooit met één vinger aangeraakt." Die verklaring klonk helder en duidelijk. Amanda streek vermoeid over haar voorhoofd. Daar zat ze nu, echtgenote van de ene partij en moeder van de andere. Wie moest ze geloven? Haar hart trok naar haar dochters, maar het idee dat Rudi zoiets zou doen klonk haar absurd in oren. Ze was ruim twintig jaar met deze man getrouwd, ze kende hem. Of toch niet?
„Je liegt!" zei Elvira fel.
„Ach, kom nou. Jij durft me hier zonder meer van incest te beschuldigen, over liegen gesproken."
„Het feit dat je ons niet regelrecht verkracht hebt, wil niet zeggen dat je onschuldig bent," beet Elvira hem toe.
Ondanks alle ellende slaakte Amanda onwillekeurig een zucht van opluchting. Het allerergste was dus niet gebeurd, al realiseerde ze zich meteen dat dat de situatie niet minder ernstig maakte. Met moeite probeerde ze haar verstand erbij te houden. Wat moest ze doen? Hoe moest ze dit aanpakken? Er werd duidelijk van haar verwacht dat ze één kant koos, maar hoe kon ze dat doen als ze niet eens wist wat er allemaal voorgevallen was?
Ondertussen waren er wel al een heleboel zaken duidelijk geworden. Het veranderde gedrag van Elvira en Alexandra, wat ze toegeschreven had aan de puberteit. Hun af en toe openlijke afkeer van hun vader, het feit dat ze niet thuis wilden zijn als zij op de koopavonden werkte. Amanda durfde niet verder te denken. Iedere gedachte hierover klonk als een beschuldiging aan het adres van Rudi.
„Alexandra, wat is er precies gebeurd?" wendde ze zich tot haar jongste dochter.
„Geloof je me niet?" riep Elvira voor de tweede keer. „Moet Alexandra nu duidelijkheid brengen? Bedankt voor je vertrouwen." Dat laatste kwam er bitter achteraan.
„Liefje, wat verwacht je nou van me? Ik krijg totaal onvoorbereid zo'n gruwelijk verhaal te horen, ik weet echt niet wat ik ervan moet denken. Dit overvalt me."
„Dan had je al die jaren wat beter op moeten letten," zei Elvira beschuldigend. „En noem me geen liefje." Ze stond op en liep

naar de deur, Alexandra aan één hand met zich meetrekkend. „We weten nu tenminste waar we aan toe zijn, bedankt. Morgen zijn we hier weg, dan hebben jullie geen last meer van ons." Met een daverende klap viel de deur achter hen dicht. Even later klonk duidelijk het gestamp van hun voetstappen op de trap, gevolgd door een nieuwe klap van de slaapkamerdeur. Elvira's frustraties waren duidelijk hoorbaar in de wijze waarop ze met de deuren smeet.

Als een leeggelopen ballon zakte Amanda in elkaar, haar handen sloeg ze voor haar gezicht. Ze schrok op omdat Rudi een hand op haar schouder legde. Onwillekeurig schoof ze opzij.

„Ik merk het al, ik ben hier de gebeten hond," zei hij stroef. Hij stond op en ging tegenover zijn vrouw zitten.

„Kun je me recht aankijken en zeggen dat er helemaal niets gebeurd is?" vroeg Amanda zacht.

„Ach, niets." hij haalde zijn schouders op. Het viel Amanda op dat hij over haar heen keek, een gebaar dat haar pijn deed. „Ik heb ze nooit ergens toe gedwongen of verkracht."

„Dat zei Elvira ook. Maar je hebt dus wel dingen gedaan die niet horen. Dingen die geen enkele vader bij zijn dochters mag doen." Het klonk meer als een constatering dan als een vraag.

„Amanda, wat verwacht je nu dat ik zeg? Het was allemaal onschuldig en zeker niet zo'n scène als vanavond waard. Ik werd afgeschilderd als één of ander monster," zei Rudi geïrriteerd.

„Als je ook maar één vinger naar ze hebt uitgestoken, ben je dat ook," zei Amanda koel. „Hou op met die smoesjes. Ik wil precies weten wat er voorgevallen is."

„Het stelde allemaal niet veel voor, bovendien waren ze er zelf ook bij. Ze kwamen zelf bij me op schoot zitten, ze deden nooit de badkamerdeur op slot en ze hebben me nooit gezegd dat ze iets absoluut niet wilden. Als ze dat hadden aangegeven, had ik toch nooit iets gedaan? Het was onschuldig, Amanda. Een beetje spielerei, meer niet."

Amanda's hart leek te bevriezen bij zijn pogingen zichzelf vrij te pleiten. Zoals hij het nu voorstelde, lag het allemaal aan Elvira en Alexandra. Maar hij was hun váder, zoiets had sowieso nooit

in zijn hoofd op mogen komen. Hij was over een lijn gegaan. En niet eens een vage lijn waarbij het moeilijk te bepalen was waar hij lag, maar over een zeer duidelijke, dik aangegeven grens. Ze werd misselijk van zijn betoog en vol walging draaide ze haar hoofd weg.
„Hou op, je maakt me ziek," zei ze minachtend. Al haar liefde voor deze man was in één klap weg, intense haat kwam ervoor in de plaats. Ze zou hem kunnen wurgen voor wat hij haar dochters aangedaan had. Op dat moment begreep Amanda dat een mens tot moord in staat was, onder dergelijke omstandigheden.
„Blaas het niet zo op, dat doet Elvira al," verzocht Rudi.
„Opblazen? Dat kind heeft jarenlang met een loodzwaar geheim rondgelopen! Hoe heb je ervoor gezorgd dat ze hun mond hielden? Bedreiging?"
„Welnee, ik heb nooit gezegd dat ze niets mochten vertellen, want er is niets gebeurd. Zet het jou dan niet aan het denken dat ze er nu pas mee komt? Dat is toch een bewijs dat het allemaal wel meevalt?"
„Nee, dat is een bewijs dat ze jarenlang doodsbang zijn geweest." Amanda stond op. „Ik slaap in de logeerkamer zolang ik hier nog woon. Morgen vraag ik direct een scheiding aan en zodra ik andere woonruimte heb, ben ik weg. Met de kinderen."
„Amanda, dat meen je niet!" Hij wilde haar tegenhouden, maar de blik van ijskoude minachting die ze hem toewierp deed hem stilstaan. „Je haat me," constateerde hij geschrokken.
„Vanuit het diepst van mijn hart, ja," zei ze grimmig. „Blijf uit mijn buurt en raak me zeker niet aan. Ik weet niet wat je allemaal bezield heeft, maar ik weet wel dat ik er in ieder geval geen begrip voor op kan brengen. Je bent een schoft!"
Met opgeheven hoofd liep ze de kamer uit, maar eenmaal in de gang was het gedaan met haar fiere houding. Haar knieën knikten en haar hoofd voelde aan alsof het ieder moment uit elkaar kon spatten. In een kwartier tijd was haar hele, veilige wereld ingestort, realiseerde ze zich. Niets was er meer over, alles was een illusie gebleken. Meer dan twintig jaar was ze getrouwd

met een man die niet van zijn eigen dochters af kon blijven. Ze huiverde van afschuw. Waarom had ze dit nooit gezien? Elvira en Alexandra hadden vaker aangegeven het niet leuk te vinden als zij 's avonds niet thuis was, maar daar had ze nooit iets achter gezocht. Zij was hun moeder, degene die ze verzorgde en die het leeuwendeel in de opvoeding nam. Het was niet vreemd dat de meisjes meer naar haar trokken dan naar hun vader. Nooit had ze ook maar het geringste vermoeden gehad van wat zich thuis afspeelde als zij op haar kaartclubje zat of een avond bij een vriendin of familielid doorbracht. Nooit. Geen seconde. Ze had er zelfs een beetje lacherig over gedaan als Alexandra zich huilend aan haar vastklampte als ze haar jas aantrok of wanneer Elvira pinnig vroeg of ze alwéér wegging. Alsof ze avond aan avond de hort op ging, lachte ze dan. Nu zag ze dat alles ineens in een heel ander perspectief. Het was geen wonder dat haar meisjes zo reageerden, bleek achteraf. Amanda probeerde zich voor te stellen hoe dergelijke avonden verlopen waren, maar het was te gruwelijk. Ze werd misselijk bij de beelden die op haar netvlies verschenen.
Waarom? Waarom deed hij zoiets? Waarom had zij het nooit gemerkt? Zij was hun moeder, ze had ze hier tegen moeten beschermen. Een droge snik welde op in haar keel. Ze had gefaald als moeder, dat was duidelijk. Ze was niet in staat geweest haar kinderen te behoeden voor zoiets vreselijks. Het was een afschuwelijk gevoel.
Het liefst zou ze nu in bed willen kruipen en deze vreselijke avond vergeten. Net doen alsof er niets gebeurd was en morgen gewoon verder gaan waar ze in het begin van de avond waren gebleven. Alles negeren. Met een zucht stond Amanda op. Dat was nu eenmaal onmogelijk. Ze moest naar haar dochters toe en er met ze over praten. Ze het gevoel geven dat hun moeder achter hen stond. Het was al erg genoeg dat ze daarnet het idee hadden gekregen dat ze niet geloofd werden. Wat er verder ook nog zou gebeuren, dit moest ze in ieder geval zo snel mogelijk rechtzetten.
Ze had verwacht dat Alexandra bij Elvira op de kamer zou zijn, maar toen ze daar naar binnen ging, zag ze dat Elvira in haar

eentje in bed lag. Ze had haar ogen gesloten, maar Amanda hoorde aan haar ademhaling dat ze niet sliep. Voorzichtig liet ze zich op de rand van het bed zakken, maar Elvira reageerde niet op haar aanwezigheid.
„Het spijt me," zei Amanda zacht. „Het spijt me meer dan ik zeggen kan. Ik vind het vreselijk dat ik jullie hier niet voor heb kunnen behoeden. Ik wist het niet, Elvira, ik wist het werkelijk niet. Kunnen we erover praten?" Ze wachtte, maar het bleef stil onder de dekens. „Als je niets wilt zeggen, respecteer ik dat, maar vergeet nooit dat ik aan jullie kant sta," zei Amanda na een paar minuten. „Ik kan en wil het gedrag van je vader niet goed praten, daar hoef je niet bang voor te zijn. Als ik je vanavond het idee heb gegeven dat het anders is, dan spijt dat me."
Ze boog zich over Elvira heen en drukte een kus op haar wang. Elvira maakte een onwillig gebaar met haar schouder, alsof ze haar moeder van zich af wilde schudden. Het deed Amanda pijn dat haar oudste dochter zich zo opstelde, maar ze begreep het wel. Elvira moest zich verschrikkelijk in de steek gelaten voelen. Bij haar kamerdeur wachtte ze nog even hoopvol of Elvira toch nog iets zou zeggen, maar de gespannen stilte bleef voortduren. Amanda kon alleen maar hopen dat Elvira goed tot zich door zou laten dringen wat ze gezegd had.
Bij Alexandra had ze meer succes. Haar jongste dochter zat op haar bed, met opgetrokken knieën en haar armen om haar benen geslagen. Ze huilde onhoorbaar en Amanda's hart ging naar haar uit. Haar meisje, dat jarenlang het kleintje binnen hun gezin was geweest. Zwijgend strekte ze haar armen naar haar uit en Alexandra klampte zich aan haar moeder vast.
„Ik vind het zo erg," snikte ze. „Ben je nou boos op ons?"
„Maar lieverd, hoe kom je daar nou bij?" Amanda hield haar even van zich af, zodat ze haar aan kon kijken. „Dit is absoluut niet de schuld van jou of Elvira, vergeet dat nooit. Je mag jezelf dit niet verwijten, echt niet."
„Maar Elvira had het niet mogen zeggen. We hadden afgesproken dat jij het niet hoefde te weten." Er was niets meer over van de bravoure die Alexandra de laatste jaren ten toon had

gespreid. In plaats daarvan was ze op dat moment een klein, intens verdrietig meisje.
„Ik ben blij dat ik het wel weet," beweerde Amanda, hoewel 'blij' niet bepaald het woord was wat bij haar gemoedstoestand paste. „Er is maar één schuldige en dat is jullie vader. Ik ben inderdaad boos, ja, maar niet op jou of je zus."
„Ik wil niet dat je boos bent op papa. Nu krijgen jullie ruzie, terwijl het allemaal al heel lang geleden is. Al die tijd is er niets aan de hand geweest, nu is ineens alles mis omdat Elvira haar mond niet kon houden," zei Alexandra.
„Dat is onvermijdelijk, zulke dingen kun je niet je hele leven lang verzwijgen. Dat mag je zelfs niet verzwijgen, het is veel beter om erover te praten. Kun je me vertellen wat er precies voorgevallen is en wanneer het begon?" vroeg Amanda.
„Een hele tijd geleden al," vertelde Alexandra. „Toen we elf en twaalf jaar waren, jij was in verwachting van Timo. Papa kwam vaak de badkamer in als we daar waren, de deur mocht niet op slot van hem. Soms keek hij alleen maar, soms zat hij aan ons. Als jij niet thuis was moesten we altijd op zijn schoot zitten en dan hield hij ons vast." Alexandra rilde bij de herinneringen en hoewel ze een zeer summiere opsomming gaf van de feiten kon Amanda zich levendig voorstellen wat er zich allemaal afgespeeld had op de avonden dat zijzelf niet thuis was. Vol walging luisterde ze naar het verhaal van haar dochter.
„Waarom hebben jullie nooit iets gezegd?" fluisterde ze.
Alexandra trok onwillig met haar schouders. „We wisten dat het niet klopte, maar zoiets zeg je niet. Dat durfden we ook niet goed. Hij is onze váder."
„Reden te meer om met zijn handen van jullie af te blijven," zei Amanda grimmig.
„Het heeft ook niet zo heel lang geduurd. Op een gegeven moment stopte het eigenlijk vanzelf. Wij werden ouder en zorgden ervoor dat we niet thuis waren als jij een avond weg moest. Hij heeft nooit… Je weet wel."
„Ik weet het." Amanda knikte. Het viel haar op dat Alexandra ondanks alles toch nog probeerde de zaken minder erg voor te stellen dan ze waren, omdat ze haar moeder geen pijn wilde

doen. Ze legde haar dochter neer en stopte het dekbed stevig om haar heen. „Probeer wat te slapen," zei ze zacht. „Je weet me te vinden als je wilt praten."
„En nu?" vroeg Alexandra kleintjes. „Wat gaat er nu gebeuren?"
Amanda aarzelde, besloot toen toch eerlijk te zijn. Daar had Alexandra recht op. „We gaan scheiden," zei ze zo rustig mogelijk.
„Nee!" Alexandra schoot overeind. „Dat wil ik niet."
„Alexandra, wat jullie vader gedaan heeft, is ontzettend fout. Ik kan niet getrouwd blijven met een man die zulke dingen op zijn geweten heeft, dan zou ik medeschuldig zijn. Jarenlang heb ik met hem in één bed gelegen terwijl hij..." Ze stokte. Het kostte haar moeite om dit op een rationele toon te bespreken, maar ze zou Alexandra er niet mee helpen als ze nu ging huilen. Dat arme kind had het al moeilijk genoeg met de hele situatie. „Ik kan gewoon niet bij hem blijven," eindigde ze nogal tam.
„Dat is onze schuld," huilde Alexandra alweer. „Zie je wel, Elvira had het niet moeten zeggen."
„Hou daarmee op," verzocht Amanda haar vermoeid. „Jullie hebben niets verkeerds gedaan. Het is mijn beslissing om bij je vader weg te gaan. Ga nu alsjeblieft slapen, morgen praten we wel verder." Ze was aan het einde van haar Latijn en het enige wat ze nu verlangde was rust om alles te overdenken. Het was een enorme warboel in haar hoofd.
„Morgen ben ik hier niet meer," zei Alexandra echter. „Ik ga bij Arjen wonen, dat heb ik al gezegd."
„En ik heb je gezegd dat ik daar geen toestemming voor geef."
„Probeer me maar eens tegen te houden!" Met vijandige ogen keek Alexandra Amanda aan. Plotseling was ze weer de opstandige puber die Amanda kende. Ze wist niet of ze daar nu wel of niet blij mee moest zijn. „Geef me één goede reden om hier te blijven. Jullie gaan scheiden, Elvira gaat op zichzelf wonen, het hele gezin valt uit elkaar. Ik ben niet van plan om rustig toe te kijken."
„Alexandra, alsjeblieft. Morgen praten we, nu kan ik niet meer. Ik ben op." Amanda sloot haar ogen, ze had het gevoel of de hele wereld om haar heen draaide.

„Er valt niets meer te praten, alles is nu wel gezegd. Morgen ga ik het huis uit." Alexandra draaide demonstratief haar rug naar haar moeder toe.
Amanda wist dat deze stoere houding niet echt was, maar ze wist niet meer wat ze ertegen moest doen. Alle energie was uit haar lichaam verdwenen. Ze sleepte zich naar de logeerkamer toe, waar ze languit op bed ging liggen. Vreemd, al een uur lang verlangde ze ernaar om te huilen, maar nu ze die mogelijkheid had wilden de tranen niet komen. Met brandende ogen staarde ze naar het plafond.
Alles was weg, in één klap was ze het door haar gekoesterde gezin kwijt. Alleen Bennie en Timo had ze nog, voor hen moest ze sterk zijn. Elvira en Alexandra zouden hun eigen weg gaan. Ze kon ze niet tegenhouden, hoe graag ze dat ook zou willen. Elvira had de leeftijd om zelfstandig te worden. Ook al vond Amanda haar met haar achttien jaar veel te jong, ze kon er wettelijk gezien niets tegen doen. Alexandra was een ander verhaal, maar Amanda wist dat ze ook die strijd zou verliezen. Ze had eerder die avond al gedreigd met weglopen en aan de blik in haar ogen had Amanda daarnet gezien dat ze het meende. Wellicht was het verstandiger om haar te laten gaan, met de verzekering dat ze altijd bij haar moeder terechtkon. Haar nu tegenhouden zou waarschijnlijk betekenen dat ze haar helemaal zou verliezen en dat was het laatste wat Amanda wilde. Ze had al genoeg gefaald, dat was die avond wel bewezen.
Haar borst krampte bij de gedachte aan wat haar dochters hadden moeten doorstaan.
Beneden hoorde ze Rudi nog heen en weer lopen. Rudi, haar echtgenoot. De man waar ze van hield en die ze altijd vertrouwd had. Dat een mens zich zo enorm kon vergissen in iemand! Meer dan twintig jaar geleden had ze in volle overtuiging 'ja' tegen hem gezegd, zonder te vermoeden dat ze daarmee een afschuwelijk lot voor haar toekomstige dochters bezegelde. Het schuldgevoel dat haar bij die gedachte overviel was enorm.
De tranen die net niet wilden komen, stroomden nu rijkelijk over haar wangen. Twintig jaar liefde was in één avond wegge-

vaagd. Plotseling had ze niets meer. Het enige dat haar nog restte van haar huwelijk waren gevoelens van schuld, falen, angst voor de toekomst, verdriet om wat haar dochters aangedaan was en haat. Een intense haat jegens de man die dit veroorzaakt had.

HOOFDSTUK 5

Amanda was tegen de ochtend toch in een onrustige slaap gedommeld. Bij het wakker worden een paar uur later hield ze haar ogen stijf dicht. Ze voelde zich angstig en verward, bovendien had ze het koud. Alle ellende stond haar weer in één klap voor de geest, al was het nog steeds moeilijk te geloven. Ze hoopte dat het niet echt was, dat ze een nare droom had gehad, maar toen ze even later haar ogen open deed en de kale logeerkamer zag in plaats van haar eigen, gezellige slaapkamer, wist ze dat dat ijdele hoop was. Het was wél echt gebeurd. Haar man had incest gepleegd bij haar dochters. Ze wist niet of de term incest de juiste was in dit geval, omdat hij nooit gemeenschap met ze had gehad, maar het was het enige woord dat er voor haar gevoel bij paste. In ieder geval had hij niet met zijn handen van ze af kunnen blijven. Bah!

Vanaf vandaag ging haar hele leven veranderen. Als eerste zou ze straks contact opnemen met een advocaat en daarna ging ze direct op zoek naar woonruimte voor haar, Timo en Bennie. Hoewel Amanda er gisteren nog van overtuigd was geweest dat ze van Rudi hield en ze haar hele leven bij hem zou blijven, verlangde ze er nu naar om zo snel mogelijk bij hem uit de buurt te zijn. Ze walgde van hem.

Rillend stond ze op. Ze had gisteravond niet de moeite genomen om zich om te kleden, evenmin was ze onder het dekbed gekropen. Ze was gewoon met haar kleren aan op het bed gaan liggen en zo was ze in slaap gevallen. Ze had het koud en haar spieren voelden stijf aan.

Nadat ze zich ervan overtuigd had dat Rudi al beneden was, nam Amanda een lange, hete douche. Na enige aarzeling ging ze daarna ook naar beneden. Zolang ze nog in één huis woonden was het onmogelijk om Rudi te ontlopen. In de keuken vond ze de ontbijttafel al gedekt. Rudi, Timo en Bennie zaten te eten, het koffiezetapparaat pruttelde zacht en de geur van gebakken eieren vulde de keuken. Verbijsterd bleef Amanda in de deuropening staan. Alles had ze verwacht, maar niet dit gewone, huiselijke tafereeltje van iedere ochtend. Het ontbrak

er nog maar aan dat Elvira en Alexandra gezellig mee aanschoven!
„Goedemorgen," begroette Rudi haar zoals altijd. „Koffie?"
Amanda knikte zwijgend en nam plaats aan de ontbijttafel. In aanwezigheid van Timo en Bennie kon ze niets zeggen, maar ze vroeg zich wel af wat hier de bedoeling van was. Dacht Rudi werkelijk dat er niets veranderd was? Met moeite concentreerde ze zich op haar twee zoons, ze was blij toen ze hun ontbijt op hadden en ze allebei naar hun eigen kamer vertrokken om hun gymspullen te pakken en hun schoenen aan te doen.
„Wat is hier de bedoeling van?" wendde ze zich tot Rudi.
„Hoezo?" Hij leek oprecht verbaasd door haar vraag. „Ik doe dit toch iedere ochtend?"
„Dit is geen ochtend als alle andere. Onze dochters verlaten vandaag het ouderlijk huis en ik ben van plan ze zo snel mogelijk te volgen."
„Amanda, doe niet zo onredelijk. Dat Elvira en Alexandra alles uit zijn verband rukken kan ik nog begrijpen, alles wordt nu eenmaal overdreven op die leeftijd. Maar jij..." Hij schudde zijn hoofd.
Amanda staarde hem aan alsof ze haar ogen niet kon geloven. „Hoe durf je?" bracht ze uit. „Waar haal je het lef vandaan om dergelijke zaken te bagatelliseren? Ik walg van je!" Plotseling woedend maaide ze met één beweging het serviesgoed van de tafel af. De borden, bekers en bestek vielen kletterend op de plavuizen. De herrie die dit veroorzaakte, belette haar verder te spreken. Zwijgend staarden ze allebei naar de ravage op de grond. „Kijk, daar ligt ons huwelijk, in stukken op de vloer," zei Amanda toen schor.
„Het leek mij beter om een scène te vermijden en alles zo normaal mogelijk te laten verlopen voor de jongens, jammer dat jij er niet net zo over denkt," zei Rudi afgemeten. „Ruim je zelf even op?"
Met grote passen beende hij de keuken uit, even later hoorde Amanda de buitendeur dicht vallen. Ze liet zich op haar knieën op de vloer zakken. De ravage leek haar toe te grijnzen en uit te lachen. Het liefst zou ze er tussen gaan liggen en heel lang en

heel hard huilen, maar Timo en Bennie weerhielden haar daarvan. Ze stormden de keuken binnen en keken met ontzag naar de enorme troep.
„Tjonge!" riep Timo uit. „En papa wordt boos als ik mijn beker omgooi!"
„Ik viel tegen de tafel aan," verzon Amanda snel. Ze knuffelde Bennie, die troostend zijn armen om haar hals sloeg, daarna vermande ze zich. Ze zag dat het de hoogste tijd was om de jongens naar school te brengen en spoorde ze aan hun jassen aan te trekken. Hoe ze zich ook voelde, het normale leven ging gewoon door.
Ook Elvira en Alexandra waren op de herrie afgekomen.
„Ruzie gehad met je beminde echtgenoot?" informeerde Elvira koel.
Amanda gebruikte hetzelfde smoesje als even daarvoor tegen de jongens, maar ze zag dat haar dochters haar niet geloofde. Maar wat maakte dat ook uit, dacht ze moedeloos. Alles was toch al kapot. Niet alleen haar ontbijtservies, maar haar hele leven. Als een robot bracht ze de jongens naar school, waarna ze haar werk belde om door te geven dat ze die dag niet zou komen.
„Wat is er aan de hand?" informeerde de secretaresse van Roel Verkerk, degene die dergelijke telefoontjes altijd afhandelde. „Ben je ziek?"
„Nee, er zijn persoonlijke omstandigheden," antwoordde Amanda kort.
„Dat gaat niet zomaar. Het zou een puinhoop worden als iedereen zich zonder reden afmeldt."
„Geloof me, ik héb een reden," zei Amanda sarcastisch. „Maar die gaat je niet aan."
„Hm, ik zal dit door moeten geven aan Roel," zei de secretaresse zuinig.
„Doe dat. Weet je wat? Maak maar gelijk een afspraak voor me met hem, voor vanmiddag als dat kan. Drie uur? Prima." Zonder te groeten verbrak Amanda de verbinding.
Vanmiddag drie uur gesprek met Roel, noteerde ze. Haar hoofd voelde aan als een zeef en ze zou het absoluut onmiddellijk

weer vergeten als ze het niet opschreef. Er moest ook zo ontzettend veel geregeld worden ineens. Aan de ene kant was ze daar blij om omdat het haar belette om te piekeren en om teveel te voelen, maar ze had wel het gevoel dat haar hoofd overliep van alles wat er gedaan moest worden. Aan de telefoon was het haar ineens ingevallen dat ze voortaan zelf in haar levensonderhoud zou moeten voorzien, dus ze zou een fulltime baan moeten hebben. Ze hoopte dat dat mogelijk was in het warenhuis, waar ze zich prettig voelde en waar ze inmiddels de meeste mensen kende. Advocaat bellen, was het volgende dat ze op het briefje schreef. En woonruimte zoeken. Vermoeid wreef ze over haar voorhoofd. Wat eerst? Eerst de puinhoop in de keuken opruimen, besloot ze. Dat kon ze moeilijk laten liggen.
Tot haar verrassing was echter alles al opgeruimd en schoon. De vloer glansde haar tegemoet en niets wees meer op de scène van een uur geleden. Elvira en Alexandra zaten aan de grote, ronde tafel. Zwijgend schonk Amanda een kop koffie voor hen drieën in.
„Bedankt," zei ze toen, wijzend op de vloer.
„Het zag eruit alsof je nogal kwaad was," zei Elvira. Ze richtte haar ogen met een ondoorgrondelijke blik op haar moeder, de blik waar Amanda altijd zo'n hekel aan had omdat ze op zulke momenten niet kon peilen wat er in Elvira's hoofd omging.
„Het liep enigszins uit de hand," gaf Amanda toe.
Elvira dronk haar kopje leeg en stond op. „Ik ga mijn laatste spullen pakken en dan ben ik weg," kondigde ze aan op een toon alsof er niets aan de hand was. Het klonk alsof ze een uurtje de stad in ging om te winkelen.
„Elvira, moet dat nu zo?" vroeg Amanda hulpeloos. „Zo... Zo kil? Zo onpersoonlijk?"
„Wat wil je dan, moeder? Een emotioneel afscheid waarbij we allemaal huilen en ik beloof zo vaak mogelijk langs te komen en vooral contact te onderhouden? Misschien ook nog een bedankje voor mijn fijne, zorgeloze jeugd? Ik dacht het niet. Ik ben blij dat ik hier weg kan. Ik wil niets meer met jullie te maken hebben," zei Elvira met een stalen gezicht. Haar rech-

terooglid trilde echter, iets wat altijd gebeurde als ze onder spanning stond.
„Dat meen je niet," zei Amanda dan ook kalm. „Het is vreselijk wat er allemaal gebeurd is, maar laten we het nou niet nog erger maken dan het al is. Ik wil graag je kamer een keer zien, Elvira."
„Doe geen moeite. Je belangstelling komt een beetje laat, vind ik. Dat had je jaren eerder moeten tonen, toen we het nodig hadden," zei Elvira koel.
„Ik wist het niet. Echt, ik wist het niet. Ik begrijp dat je je in de steek gelaten voelt, maar als ik dit maar enigszins had kunnen vermoeden, dan had ik ingegrepen. Wat moet ik doen of zeggen om je daarvan te overtuigen? Het is niet iets dat ik oogluikend heb toegestaan of zo."
„We hebben het gezegd," beweerde Elvira.
„Hoe bedoel je?" vroeg Amanda verward. Haar hersens werkten op volle toeren. Dit was toch niet mogelijk? Het kon toch niet dat haar kinderen haar zoiets walgelijks verteld hadden en ze het zich niet meer kon herinneren?
„Niet rechtstreeks, maar wel door gedrag. Iedere keer als we een scène maakten als jij een avond wegging. Dat was onze manier om je te vertellen wat er gaande was. Maar je lachte erom en ging toch, ook als wij huilend achterbleven."
„Maar ik dacht... Nooit is zoiets in me opgekomen. Ik was degene die jullie opvoedde en verzorgde, papa was weinig thuis. Ik vond het niet vreemd dat jullie aan me hingen. De meeste kinderen reageren zo als de persoon waar ze het meest mee optrekken een paar uur weggaat."
„Misschien hebben de meeste kinderen dan wel een vader zoals wij, een smeerlap die zijn handen niet thuis kan houden," zei Elvira hard.
„En zo vaak was ik niet van huis," verdedigde Amanda zichzelf, zonder op die woorden in te gaan. „Af en toe een verjaardag ergens, of een ouderavond."
„Maakt dat het minder erg?"
„Nee, natuurlijk niet," gaf Amanda onmiddellijk toe. „Al zou het maar één keer voorgekomen zijn, dan nog is het vreselijk. Ik

wil dit ook zeker niet bagatelliseren en jullie vader weet dat. Ik heb hem gezegd dat ik wil scheiden."
„Te laat." Elvira stond nog steeds terwijl Alexandra erbij zat alsof het niet over haar ging. Met angst in haar ogen keek ze van haar moeder naar haar zus.
„Het spijt me," zei Amanda zacht.
„Mij ook." Het klonk bitter. „Laat me alsjeblieft voorlopig met rust, ik heb tijd nodig om tot mezelf te komen en dit te verwerken. Wat jij doet moet je zelf weten, van mij hoef je niet bij hem weg. De tijd dat ik hoopte dat jij voor ons op zou komen en ons zou helpen, is voorbij."
„Ik kan onmogelijk bij een man blijven die dit op zijn geweten heeft." Amanda sprak echter tegen een dichte deur. Elvira had zich omgedraaid en was weggelopen. Moedeloos leunde Amanda met haar hoofd op de tafel. „En jij? Hoe denk jij hierover?" vroeg ze aan Alexandra.
„Elvira heeft met een heleboel dingen gelijk," zei die voorzichtig. „En ik ben ook blij dat ik weg kan, zeker als Elvira hier niet meer woont, maar ik wil je wel blijven zien, mam. Arjen komt me straks halen en ik hoop dat je snel een keertje bij ons komt."
„Absoluut," beloofde Amanda haar terwijl ze haar armen om haar jongste dochter heensloeg.
Lange tijd bleven ze zo zitten, tot Elvira haar hoofd om de deur stak en onverschillig aankondigde dat ze ging.
„Zal ik je brengen?" bood Amanda aan, maar zoals ze al verwacht had, werd dit afgewezen. Met pijn in haar hart liet ze Elvira gaan. Misschien wel voorgoed, dacht ze met een brok in haar keel. Elvira had zo stellig geklonken in haar beweringen. Maar nee, dat kon niet. Het was logisch dat ze nu even tijd voor zichzelf opeiste, maar dat zou niet eeuwig duren, hield Amanda zichzelf met de moed der wanhoop voor. Ze waren moeder en dochter, die band kon niet zonder meer verbroken worden. Nog voor ze goed en wel bekomen was van dit afscheid, volgde Alexandra. Haar vriend Arjen stelde zich beleefd aan Amanda voor, maar weigerde de hem aangeboden kop koffie. In een mum van tijd waren Alexandra's spullen in zijn wagen geladen

en reed ook haar jongste dochter de straat uit.
Met het gevoel alsof ze een harde klap op haar hoofd had gekregen, liet Amanda zich op de bank zakken, waar ze een tijdje wezenloos voor zich uit bleef staren. Dit was niet te bevatten. Gisteren waren ze nog een gewoon, gelukkig gezin geweest met vier kinderen. Vandaag stond ze alleen met haar twee kleintjes. Lijfelijk was Rudi nog aanwezig in dit huis, maar gevoelsmatig had Amanda al afstand van hem genomen. En Elvira en Alexandra waren weg, vertrokken. Het huis voelde vreemd leeg aan. De afgelopen jaren had Amanda regelmatig gewenst dat haar dochters volwassen waren en op zichzelf gingen wonen, maar niet zo. De manier waarop het allemaal gebeurde, klopte niet.
Van haar eigen moeder had Amanda altijd geleerd om positief te blijven, maar wat was hier in vredesnaam positief aan? Welk lichtpuntje was er te verzinnen in deze inktzwarte duisternis? Arjen leek haar een aardige jongen, maar dat was bitter weinig goed nieuws vergeleken bij de rest. Met moeite hees Amanda zich overeind. Ze moest iets doen, anders zou ze gek worden. Als ze nog vijf minuten bleef zitten, zou ze alle moed kwijtraken om handelend op te treden.
Het gesprek met de advocaat verliep weinig bevredigend. Natuurlijk kon ze een verzoek om echtscheiding indienen, maar omdat er kinderen bij betrokken waren kon het allemaal nog wel even gaan duren. Ze moest zich voorbereiden op coouderschap, waarschuwde de man haar, zelfs toen Amanda hakkelend vertelde wat de aanleiding voor haar scheidingsaanvraag was. Zolang er geen aanklacht ingediend werd en er niets bewezen kon worden, moest ze er in ieder geval niet op rekenen dat ze de volledige voogdij zonder op zijn minst een bezoekregeling zou krijgen.
„Dan dien ik een aanklacht in," zei ze fel. „Geen enkele rechter kan van me verlangen dat ik mijn kinderen in deze omstandigheden zonder toezicht bij hun vader laat."
„U kunt geen aanklacht indienen, u bent het slachtoffer niet," vertelde de advocaat haar. „Uw dochters zullen dat moeten doen, maar het blijft hun woord tegen het zijne. Dit zijn ontzet-

tend moeilijke gevallen, geen enkele rechter zal uw man zonder meer verbieden zijn kinderen nog te zien. Er is geen enkel bewijs dat hij ontoelaatbaar gehandeld heeft."
„Wat moet ik dan doen? Wachten tot het nog eens gebeurt en er dan een foto van maken?" vroeg Amanda bitter.
„Ik begrijp uw gevoelens, maar zo is de wet nu eenmaal. Er zijn in het verleden ook genoeg gevallen geweest dat een vader beschuldigd werd van incest terwijl dat helemaal niet zo bleek te zijn," legde de man haar geduldig uit.
„Ik geloof mijn dochters," zei Amanda fel.
„Dat is logisch, alleen ligt dat voor een rechter anders. Hij moet het objectief bekijken. Uw aanvraag voor de scheiding kan ik in ieder geval behandelen. Zullen we meteen een afspraak maken om alles door te spreken? De alimentatie, de inboedelverdeling, er komt nog een hoop bij kijken."
„Die alimentatie kunt u wel schrappen, ik neem geen cent van hem aan," verklaarde Amanda kort en bondig.
„Voor uzelf misschien niet, maar uw man is verplicht om voor zijn kinderen te betalen."
„Niet als dat automatisch inhoudt dat hij ze dan ook mag zien wanneer hij wil. Ik heb liever dat ik alleen voor de kosten van de kinderen opdraai en dat hij uit hun gezichtsveld verdwijnt," hield Amanda koppig vol. Ze hoorde de man aan de andere kant van de lijn zuchten, maar dat interesseerde haar niet. Ze maakten een afspraak voor de volgende dag om halfvier. Het moest na werktijd, want Amanda begreep dat ze niet eindeloos kon verzuimen. Zeker nu niet, ze had haar baan op dit moment hard nodig.
Omdat ze zich behoorlijk flauw en bibberig voelde, at ze met moeite een broodje voor ze naar het warenhuis ging voor het gesprek met Roel Verkerk. Verstandelijk bezien wist ze dat ze moest eten om dit allemaal vol te houden, maar het slikken kostte haar moeite.
Roel ontving haar even hartelijk als altijd. „Zijn er problemen?" informeerde hij.
„Dat kun je wel zeggen, ja." Amanda haalde diep adem en begon opnieuw haar verhaal te vertellen. Het begon al te wen-

nen, dacht ze met galgenhumor. Door er steeds over te praten werd het voor haarzelf ook iedere keer meer de realiteit in plaats van een gruwelijke nachtmerrie. „Het spijt me, maar ik kon vandaag echt niet komen," besloot ze. „Ik moet ineens zo veel regelen en mijn wereld staat zo op zijn kop, ik kan het nog niet helemaal overzien."
„Dat lijkt me logisch. Neem de rest van de week vrij, zou ik zeggen. Dan heb je even een paar dagen de tijd om alles op een rijtje te zetten," bood Roel aan.
„Graag zelfs," nam Amanda dat dankbaar aan. „Maar waar ik eigenlijk over wilde praten was over mijn werktijden. Ik zal voortaan voor mezelf moeten zorgen en ik vroeg me af of het mogelijk was dat ik fulltime kom werken."
Met ingehouden adem wachtte ze op het antwoord, waar voor haar heel veel vanaf hing. Een andere baan zou ze niet zomaar kunnen krijgen op haar leeftijd en met haar geringe ervaring. Een uitkering zou ze ook niet zomaar krijgen, omdat Rudi onderhoudsplichtig was. Ze wist niet precies hoe dat zat, maar ze had wel eens gehoord van een regeling die inhield dat de expartner gedurende een aantal jaren financieel verantwoordelijk bleef. Als het echt niet anders kon en ze hen niet meer te eten kon geven, zou ze dat voor haar kinderen accepteren, maar voor zichzelf was het een ander verhaal. Ze zou nog liever gaan bedelen dan dankjewel tegen Rudi moeten zeggen, bedacht Amanda grimmig.
Roel staarde even peinzend voor zich uit. Amanda was een goede kracht. Wat ze miste aan ervaring maakte ze ruimschoots goed met enthousiasme en inzet. Hij wilde haar dan ook niet graag kwijt, maar de boekenafdeling had voldoende personeel.
„Niet op je eigen afdeling," zei hij dan ook. „Maar als je daartoe bereid bent kan ik je wel gebruiken als een soort vliegende keep, als invalster op iedere afdeling waar dat nodig is. Er zijn altijd wel mensen ziek of met vakantie, dus wat dat betref kan ik je wel garanderen dat je iedere week aan je uren komt. Voel je er iets voor?"
„Ik pak alles aan," zei Amanda direct. Ze stak hem haar hand

toe en schudde die stevig. „Bedankt Roel. Ik zal me voor de volle honderd procent inzetten."
„Daar ben ik van overtuigd. Ik ben heel tevreden over je werk, Amanda, anders zou ik je deze mogelijkheid ook niet aanbieden. Weet je wel zeker dat je het allemaal aankunt?"
„Ik heb geen keus," antwoordde ze simpel. „Het zal best zwaar zijn om een fulltime baan te combineren met mijn twee jongens, maar een andere mogelijkheid is er niet. Ik vertik het om mijn hand op te houden bij Rudi."
„En opvang voor je kinderen na schooltijd en tijdens de vakanties? Als fulltime medewerker kun je tijdens de schoolvakanties niet de helft van je uren draaien, wat je nu wel doet," waarschuwde Roel haar.
Amanda zuchtte. Weer iets waar ze nog helemaal niet bij stil had gestaan. Er kwam ook zoveel op haar af. „Daar heb ik nog niets voor geregeld," gaf ze eerlijk toe. „Maar ik ga er onmiddellijk werk van maken."
„Sterkte met alles," wenste Roel haar toen ze opstond. „Als ik je ergens mee kan helpen of wanneer je extra vrije dagen nodig hebt, kom dan naar me toe. Ik weet dat je er geen misbruik van zult maken en als het nodig is, is er altijd wel iets te regelen."
„Dank je wel," zei Amanda met een flauwe glimlach. Roel was een man met hart voor zijn werk en voor zijn personeel, dat had ze vaker gemerkt. De deur van zijn kantoor stond altijd voor iedereen open en de meeste personeelsleden liepen met hem weg, hoewel hij beslist niet makkelijk was als iemand zijn werk niet naar behoren deed. Hij was een man waar je op kon bouwen, een rots in de branding, peinsde Amanda terwijl ze terug naar huis reed. Een man die waarschijnlijk nog liever zijn eigen handen afhakte dan zijn dochters te betasten... Maar dat kon ze niet weten. Van Rudi had ze iets dergelijks ook nooit verwacht en toch had hij het gedaan. Waren het niet altijd juist de mensen waar je het niet van verwachtte? Mensen die zich naar de buitenwereld toe aardig en sympathiek opstelden maar ondertussen de kat in het donker knepen? Amanda vroeg zich af of ze ooit in haar leven nog een man zou kunnen vertrouwen, na deze enorme desillusie.

Gaya had Timo en Bennie al uit school gehaald en schonk een beker thee voor Amanda in toen ze thuiskwam.
„Ik moet met je praten," zei Amanda, de koe bij de horens vattend. Ze was nu toch bezig, dan kon ze dit beter ook maar meteen afhandelen. Hoe sneller alles geregeld was, hoe beter. Zonder in details te treden vertelde ze haar hulp dat zij en Rudi uit elkaar zouden gaan en dat er dus het nodige zou veranderen. „Waarschijnlijk kun je hier wel blijven werken in de huishouding, maar de extra uren die je nu als oppas maakt komen te vervallen. Ik kan het me straks niet meer permitteren om een particuliere oppas in te schakelen voor de uren na schooltijd." Ze deed haar verhaal emotieloos en zo voelde ze zich inmiddels ook. Compleet leeg van binnen en niet eens meer in staat om ruzie te maken met Rudi, toen hij van zijn werk thuis kwam. Hij was laat en Amanda had met de jongens een boterham gegeten, zodat zijn prakje niet als altijd op hem stond te wachten. Zijn commentaar daarover liet ze langs zich heen glijden.
„Bestel maar een pizza of zo," zei ze midden in zijn betoog. Het kon haar niet schelen wat hij deed, zolang hij haar maar met rust liet. Ze liep naar de logeerkamer en deed de deur achter zich op slot, zijn protesten negerend. Languit op het bed overdacht ze de situatie. De advocaat was ingeschakeld, haar werk was geregeld, Gaya was ingelicht, nu moest ze nog woonruimte en naschoolse opvang voor Timo en Bennie hebben. Het leek een onoverkomelijke opgaaf, tegelijkertijd wist ze dat het haar zou lukken. Het was zoals ze die middag tegen Roel had gezegd: ze had geen keus. Alles was uit haar handen geslagen. Er was maar één persoon die ervoor kon zorgen dat haar leven weer een beetje op de rails zou komen en dat was zijzelf.

HOOFDSTUK 6

Elvira had haar draai al snel gevonden in haar nieuwe behuizing. Haar medebewoners van het grote herenhuis zag ze niet veel, maar daar had ze ook geen behoefte aan. In haar eentje voelde ze zich prettig en veilig. Nu merkte ze pas echt goed wat een impact de houding van haar vader op haar had gehad zolang ze nog thuis woonde. Ook al was het jaren geleden dat hij buiten zijn boekje was gegaan, toch had ze zich nooit meer echt veilig gevoeld in het ouderlijk huis. Ze bleef het hem verwijten en ze bleef bang. Nu was die angst grotendeels weggevallen. In haar eigen huis deed ze wat ze zelf wilde en hoefde ze niet voortdurend op haar hoede te zijn. Hier hoefde ze niet te vluchten omdat haar moeder een avond van huis ging. Het gaf haar een weldadig gevoel van rust. Ze vond het heerlijk om 's avonds in haar eentje op haar kamer te zitten, wat tv te kijken of te lezen. Behoefte aan uitstapjes had ze niet. Soms kwam Alexandra een paar uur langs of een vriendin en dat was altijd gezellig, maar als er niemand kwam, was het ook goed. Elvira genoot van haar vrijheid en miste haar ouders totaal niet. Als ze aan hen dacht, was het met een gevoel van bitterheid en teleurstelling. Het enige waar ze moeite mee had, was met het feit dat ze haar kleine broertjes nu ook niet meer zag. Ze stuurde ze wel eens een kaartje, maar daar bleef het bij. Dat ze zich had losgemaakt van haar ouderlijk huis, hield automatisch in dat het contact met Timo en Bennie wegviel, hoe jammer ze dat ook vond.
Haar baan beviel haar nog steeds goed. Het werk was afwisselend en ze hield van het contact met de bewoners van het bejaardentehuis. Ook met haar collega's ging ze goed om, al hield ze afstand en kreeg niemand de kans om haar ook privé te leren kennen. Alle vriendschappen die ze sloot, bleven oppervlakkig. Elvira vertrouwde niemand voor honderd procent, ze voelde zich alleen echt veilig als ze alleen was. Haar ouders, normaal gesproken de basis van veiligheid, hadden haar niet kunnen beschermen en dat werkte door in alles wat ze deed. Maar al met al klaagde ze niet over haar nieuwe leven.

Langzamerhand kreeg ze het gevoel dat ze alles kon verwerken en een plaats kon geven, al kon ze niet aan haar vader denken zonder hem te haten en te minachten. Ze wilde dat ze hem kon vergeten, dat hij niet langer deel uit zou maken van haar gedachtewereld, maar tegelijkertijd wist ze dat dat onmogelijk was. Ze zou nooit helemaal los van hem komen.
Vandaag was zijn verjaardag. Het was de eerste gedachte die in haar opkwam bij het wakker worden die ochtend. Andere jaren was er op zulke dagen altijd een uitgebreid, feestelijk ontbijt geweest, herinnerde ze zich. Haar moeder sloofde zich altijd nogal uit om er iets bijzonders van te maken. Ze stimuleerde haar kinderen om zelf een cadeautje te maken, wat dan vervolgens werd ingepakt alsof het uit een exclusieve zaak kwam. Met een beetje fantasie kon Elvira de geur van vers gebakken, warme croissants ruiken. Dat was dan ook het enige dat ze miste, dacht ze grimmig.
Een warm croissantje zou er wel ingaan bij haar, voor de rest was ze blij dat ze zich nu niet in haar ouderlijk huis bevond. Het was ieder jaar weer moeilijk geweest om haar vader van harte te feliciteren en hem daarbij te moeten zoenen. De afkeer die ze voor hem voelde stak op dat soort momenten dubbel de kop op, vooral omdat Rudi zelf altijd deed of hij zich van geen kwaad bewust was.
Misschien was dat ook wel zo, dacht Elvira somber terwijl ze haar spullen bij elkaar pakte. Hij vond waarschijnlijk dat hij niets verkeerds had gedaan en had geen flauwe notie van de gevolgen van zijn daden. Gevolgen voor haar en Alexandra, en tegenwoordig ook voor de rest van het gezin. Van Alexandra had ze gehoord dat hun moeder een huurhuis aangeboden had gekregen en dat ze zeer binnenkort zou verhuizen. Het gaf haar een vreemd gevoel van voldoening. Al was het dan te laat en kon er niets meer teruggedraaid worden, het was toch een soort compensatie.
Uiteindelijk ontliepen haar ouders hun straf dan toch niet, want het zou voor allebei niet meevallen. Maar dat deed het voor Alexandra en haar ook niet, dacht Elvira alweer bitter. Dus wat dat betrof, werd het wel eens tijd dat ook Rudi en Amanda hun

portie kregen. In ieder geval zou de ochtend in haar ouderlijk huis lang niet zo feestelijk verlopen als anders altijd het geval was.
Met dat laatste had Elvira in ieder geval gelijk. Timo en Bennie hadden traditiegetrouw iets voor hun vader gemaakt wat hem bij het ontbijt overhandigd werd, maar dat was dan ook alles waaruit bleek dat hij jarig was. Amanda had haar zoontjes niet willen beletten om hun vader een cadeautje te geven. De kinderen wisten niet wat er speelde en ze wilde niet zo'n vrouw worden die via de kinderen de macht in handen had en daar misbruik van maakte. Voor Timo en Bennie moest alles zo normaal mogelijk verlopen, oordeelde ze. Ze vond het echter te veel gevraagd om een feestelijk ontbijt klaar te maken en de boel te versieren.
„Krijg ik van jou geen felicitatiekus?" vroeg Rudi opgewekt nadat hij zijn cadeautjes uitgepakt en bewonderd had. „Kom op, schat, het is mijn verjaardag." Hij spreidde zijn armen naar haar uit.
Met een blik op haar twee zoontjes, die verwachtingsvol toekeken, gaf Amanda hem een kus op zijn wang. Rudi draaide bliksemsnel zijn gezicht naar haar toe en zoende haar vol op haar lippen.
„Laat dat!" zei Amanda fel.
„Stel je niet zo aan. Ik ben jarig, het is heel normaal dat je me zoent. Bovendien ben je mijn vrouw, dus het mag." Rudi lachte en knipoogde naar Timo.
„Dat laatste duurt anders niet lang meer," zei Amanda koel. Ze schonk voor zichzelf een kop koffie in en negeerde zijn uitgestrekte hand met daarin zijn lege beker.
„Gaan jullie echt scheiden?" vroeg Bennie met een klein stemmetje. Met tranen in zijn ogen keek hij van zijn vader naar zijn moeder.
„Ja lieverd, dat heeft mama je toch al uitgelegd?" Ze trok het kind bij zich op schoot. „Wij gaan in een ander huis wonen, papa blijft hier."
„Zie ik papa dan nooit meer?"
„Natuurlijk wel," antwoordde Rudi in haar plaats. „Ik blijf altijd

je papa, wat er ook gebeurt. Je komt gewoon heel vaak bij me logeren."
„Dat zien we nog wel," zei Amanda. „Kom op jongens, ga jullie jassen en schoenen aandoen. Het is bijna tijd voor school." Met zachte dwang duwde ze de kinderen de keuken uit.
„Zie je nu wat je ze aandoet?" verweet Rudi haar zodra de deur achter hen dichtgevallen was. „De kinderen zijn helemaal van slag."
„Alsof dat mijn schuld is." Vermoeid streek Amanda een haarlok uit haar gezicht. De dag was nog maar net begonnen, maar ze verlangde nu alweer naar haar bed. Heerlijk diep en droomloos slapen was een luxe die ze de laatste weken niet meer kende.
„Ik blijf erbij dat je alles vreselijk overdrijft. Kijk nou naar die jochies. Ze zijn volkomen uit hun doen en weten nog niet half wat ze te wachten staat. Straks wonen ze in een oud, armoedig huurhuis in een slechte buurt, alleen maar omdat jij te koppig bent om toe te geven dat je fout zit."
„Ik?" Verbijsterd keek Amanda hem aan. Meende hij dat nou werkelijk? Was Rudi echt zo'n egoïst dat hij alle schuld bij haar legde? In dat geval werd het zeker tijd dat er een einde aan hun huwelijk kwam, dacht ze strijdlustig. „Hou er alsjeblieft over op, met jou valt toch niet te praten over dit onderwerp," verzocht ze hem koel.
„Ik wil niets liever dan erover praten, maar jij uit alleen maar beschuldigingen. Als je je daardoor beter voelt, wil ik best toegeven dat ik fout geweest ben, maar dan moet jij ook erkennen dat je verkeerd bezig bent. De hele boel is aan het escaleren en dat is nergens voor nodig. Je zet de kinderen tegen me op, huurt hals over kop een huis en schakelt een advocaat in, om mij vervolgens te verwijten dat ik niet wil praten. Sorry hoor, maar dat is de omgekeerde wereld."
Amanda zuchtte, zoals zo vaak de laatste tijd. Hier kon ze niet tegenop redeneren, besefte ze. Wat ze ook zei, Rudi bekeek het alleen van zijn kant. Hij weigerde iedere verantwoordelijkheid te nemen voor de situatie waar ze zich nu in bevonden. En van zijn kant bezien, had hij misschien nog wel gelijk ook. Wat zij

hem nu verweet was iets van jaren geleden en daarna hadden ze gewoon altijd als man en vrouw samen geleefd. Het enige verschil was dat ze het nu wist. Voor Rudi maakte dat weinig uit, voor haar des te meer. Sinds de waarheid boven tafel was gekomen, walgde ze van hem. Het idee dat hij zijn dochters aangeraakt had op dezelfde plekken waar hij haar aanraakte, maakte haar misselijk. Nooit zou ze meer kunnen toestaan dat hij ook maar één vinger naar haar uitstak.
Nadat ze Timo en Bennie naar school had gebracht, reed ze meteen door naar de woningbouwvereniging. Er was haar een huurhuis toegezegd en Amanda had het geaccepteerd zonder zelfs het huis van binnen bekeken te hebben. Het kon haar niet schelen hoe het eruit zag, als ze maar weg kon uit het huis waar ze gedwongen was om samen te leven met een man die ze evenveel haatte als ze hem vroeger lief had. De man achter de receptie overhandigde haar met een plechtig gezicht de sleutel en wenste haar veel geluk in haar nieuwe woning.
Geluk, wat was dat ook alweer, vroeg Amanda zich bitter af. Ze reed naar de bewuste wijk waar haar nieuwe huis stond. De straten waren in schril contrast met de wijk waar ze nu woonde. Daar was alles licht, goed verzorgd en ruim. Hier leken de huizen wel tegen elkaar aan te leunen van ellende. Hoewel de zon volop scheen, was het schemerig in het kleine straatje. Of wekten de donkere huizen die indruk alleen maar? Het was in ieder geval iets heel anders dan ze gewend was. Amanda wist dat deze buurt niet al te best bekend stond, maar ze had weinig keus. Dit huis was al een aanslag op haar salaris, iets duurder kon ze zich zeker niet veroorloven. En ach, het gevaar loerde toch voornamelijk 's avonds en 's nachts, op tijdstippen dat ze toch niet buiten kwam. Tegen de tijd dat Timo en Bennie ouder werden en 's avonds op stap gingen, zag ze wel weer verder, dat was nu nog niet aan de orde. Amanda had zich aangeleerd om problemen één voor één te bekijken en niet op de zaken vooruit te lopen, dat scheelde gepieker.
De binnenkant van het huis viel haar honderd procent mee. Het was klein, zeker in vergelijking met het huis waar ze nu in woonde, maar ze kon Timo en Bennie allebei een eigen kamer-

tje geven. De badkamer was niet meer dan een douche waar nog net een wastafel naast paste, maar de keuken was redelijk ruim. Alles zag er netjes uit, ontdekte ze tot haar grote opluchting. Gelukkig maar, want veel tijd om op te knappen en te verbouwen had ze niet. Voor de verhuizing mocht ze een paar dagen vrij nemen, maar dan had ze het wel gehad en geld om het te laten doen had ze niet. Ze vertikte het om geld van Rudi aan te nemen, dus alles moest van haar eigen, karige salaris. Terwijl ze door het huis liep, werkten Amanda's hersens op topsnelheid. Ze wilde zo snel mogelijk verhuizen en gezien de staat van dit huis zou dat niet zoveel problemen opleveren. Het behang zag er nog goed uit, behoudens enkele lichte plekken waar ze zelf iets overheen kon hangen. Het vinyl op de vloer was eigenlijk hetzelfde. Je kon zien waar de diverse meubelstukken hadden gestaan, maar als zij haar spullen op dezelfde plekken neerzette, kon het nog wel een tijdje mee. Eigenlijk hoefde er alleen maar geverfd te worden en dat kon ze ook doen als ze er woonde, overwoog Amanda. Het was maandag, haar vrije dag dus. Als ze de dinsdag en de woensdag ook vrij nam, had ze drie dagen de tijd en kon ze misschien woensdagmiddag al over. Het was een aantrekkelijke gedachte. Ze wilde alles het liefst zo snel mogelijk achter de rug hebben, zodat ze aan haar nieuwe leven kon beginnen. Het viel niet mee om opnieuw te moeten beginnen, maar het was beter dan doelloos wachten tot ze iets kon ondernemen.
Ze diepte een pen en een bloknoot op uit haar tas en begon met het maken van een lijst van alles wat ze nodig had. Het was meer dan ze dacht. Tijdens het schrijven kwamen er bij haar steeds meer dingen op waar ze niet buiten kon, zoals keukenspullen, een wasmachine, een servies en bestek, om nog maar niet te spreken van meubels. Het drong tot Amanda door dat ze toch geld van hun gezamenlijke spaarrekening moest gebruiken, al deed ze dat liever niet. Wettelijk gezien had ze recht op dat geld, maar sinds ze alles wist, zat er voor haar een naar luchtje aan. Toch kon ze nu niet anders. Dit huis moest ingericht worden en ze had ook twee kinderen waar ze rekening mee moest houden. De spullen van hun kamers zou ze zonder

meer meenemen, maar er was veel meer nodig. Spullen die ze ooit samen met Rudi uitgezocht had, hoefde ze niet, daar zaten alleen maar herinneringen aan. Ze moest dus alles opnieuw aanschaffen, maar dan wel zo goedkoop mogelijk. Rudi zou haar in ieder geval nooit het verwijt kunnen maken dat ze hem financieel uitkleedde.

Haar nieuwe leven viel Alexandra niet mee. Samenwonen met Arjen was vaak zelfs moeilijker dan gewoon bij haar ouders thuis wonen, ontdekte ze al snel. Ze moest niet alleen rekening met hem houden, hij verwachtte ook van haar dat ze 's avonds kookte en dat ze de nodige huishoudelijke klussen verrichtte. Bovendien legde hij voortdurend beslag op haar tijd en dat was iets wat de vrijgevochten Alexandra benauwde. Ze had geen zin om avond aan avond thuis te hangen of om alleen op stap te kunnen gaan als Arjen haar vergezelde, ze wilde ook gewoon lekker met haar vriendinnen uitgaan. Lol maken, de laatste roddels uitwisselen, een beetje flirten. Arjen verwachtte echter dat ze het leven van een gemiddelde huisvrouw ging leiden, iets dat ze op haar zeventiende echt niet zag zitten.
„Je bent ook veel te jong om samen te wonen," berispte Elvira haar toen Alexandra op een avond langskwam en haar beklag deed over alles wat haar hoog zat.
„Hè ja, dat is commentaar waar ik echt op zit te wachten," gaf Alexandra vinnig terug. „Trouwens, als jij niet zo nodig het huis uit moest, had ik je voorbeeld niet hoeven volgen. Je weet dat ik niet zonder jou thuis wilde blijven."
„Het is nogal makkelijk om die verantwoording op mijn schouders neer te leggen. Het was je eigen keus, dat weet je best. Je moest en zou samen met die Arjen een eigen huishoudinkje runnen, dan moet je nou niet klagen dat het tegenvalt. Je bent genoeg gewaarschuwd van alle kanten."
„Wat moest ik anders?" mokte Alexandra. „Mama trekt in een huurhuis waar geen plaats voor mij is en jij woont ook te klein om mij erbij te hebben. De enige die genoeg ruimte heeft is pa, maar ik mag toch hopen dat je begrijpt dat ik daar niet wil wonen." Dat laatste klonk sarcastisch en plotseling kreeg

Elvira medelijden met haar. Alexandra was nog veel te jong om alles wat er gebeurd was te verwerken. Haar hele leventje stond ineens op zijn kop en ze deed dan wel heel stoer en volwassen, maar ze was nog maar een onzekere puber. Bovendien een puber die haar plaats in het leven plotseling was kwijtgeraakt en naarstig op zoek was naar een eigen plekje.
„Als je wilt, mag je zo bij me komen wonen," zei Elvira dan ook hartelijk. „Het zal behelpen worden met de ruimte, maar daar komen we ook wel overheen. Het was niet mijn bedoeling om je in de steek te laten, Alex."
„Dat weet ik wel," lachte Alexandra alweer. Er verscheen een trek van opluchting op haar gezicht. „Misschien hou ik je er ook nog wel eens aan."
„Denk je er serieus over om bij Arjen weg te gaan?" wilde Elvira weten. „Nu al, na een paar weken?"
„Ik weet het niet. Het samenwonen valt me tegen, dat wel, maar misschien heeft het even tijd nodig. Arjen moet nog wat opgevoed worden," grinnikte ze.
„Hou je eigenlijk van hem?"
Alexandra keek Elvira verbaasd aan bij deze rechtstreekse vraag. „Of ik van Arjen hou?" herhaalde ze fronsend. „Ik ben verliefd op hem en ik mag hem graag."
„Dat is niet genoeg. Samen een leven opbouwen is al moeilijk genoeg als er van twee kanten voldoende liefde is, maar als die ontbreekt is het onmogelijk," zei Elvira beslist.
„Poe, poe, wat een grote woorden. Wat is liefde eigenlijk? Dat wat ma en pa hebben? Nou, geef mijn portie dan maar aan Fikkie. Die zogenaamde liefde heeft ze toch ook niet geholpen, want ze gaan nu wel uit elkaar."
„Dat is wat anders, dat komt omdat pa een zak is," zei Elvira hard. Ze stond op om wat drinken in te schenken. Met haar rug naar Alexandra toe vroeg ze onzeker: „Hoe kun je van tevoren weten of iemand iets dergelijks gaat doen? Ik bedoel, mama had dit toch van pa ook nooit verwacht, anders zou ze niet met hem getrouwd zijn. Wanneer weet je of je een goede keus doet als het om een man gaat?"
„Geen idee," antwoordde Alexandra. „Dat is iets wat je moet

voelen, denk ik. En dan nog heb je geen garantie, maar die heb je nooit, op geen enkel gebied. Ben je...?" Ineens veerde ze overeind. „Jawel, ik zie het aan je. Je bent verliefd! Vertel, wie is het? Ken ik hem? Hoe ziet hij eruit?"
„Loop niet zo hard van stapel," verzocht Elvira terwijl ze de glazen op tafel zette. Ze kon echter niet verhinderen dat ze begon te blozen.
„Je bloost! Zie je wel!" juichte Alexandra. Haar ogen glinsterden, ze genoot duidelijk van de verlegenheid van haar zus.
„Oké, er is wel iemand," gaf Elvira toe. „Maar er is niets tussen ons, ik vind hem gewoon leuk. Ik heb ook geen idee wat hij van mij vindt, dus maak je geen illusies. Ik vroeg me gewoon af wanneer je weet of iets goed zit."
„Je zat natuurlijk lekker te dromen en te fantaseren over een toekomst met die jongen en toen sloeg de angst toe," begreep Alexandra met een inzicht dat Elvira niet van haar verwacht had.
„Maar daar laat je je toch zeker niet door weerhouden? Laat het op je afkomen en geniet ervan, dan merk je op een gegeven moment vanzelf wel of het goed voelt of niet. Zo niet, dan maak je er een eind aan, simpel."
„Zo makkelijk ben ik nu eenmaal niet."
„Zoals ik, bedoel je?"
„Het was geen verwijt," haastte Elvira zich te zeggen.
„Zo vat ik het ook niet op, wees maar niet bang. Ik begrijp je probleem eerlijk gezegd niet. Je doet alsof je meteen verplicht bent te trouwen als je een avondje met iemand uitgaat. Als een relatie niet bevalt, moet je hem beëindigen, dat heeft niets te maken met makkelijk denken. Maar als je niet iets met een man begint, kom je er ook nooit achter of het de ware is."
„Je hebt gelijk, maar het valt niet altijd mee. Als ik iemand tegenkom die ik meer dan aardig vind, moet ik altijd aan pa denken en dan vraag ik me af welke duistere, verborgen kanten die bewuste man aan zijn karakter heeft zitten. Dat houdt me altijd tegen om een relatie te beginnen."
„Op die manier blijf je je hele leven slachtoffer," zei Alexandra beslist. „Daar moet je je echt overheen zetten, anders blijf je

hangen in zelfmedelijden en bitterheid. Niemand schiet daar iets mee op, jijzelf zeker niet. Geef die man waar je verliefd op bent een kans en laat de tijd uitwijzen of het echt iets wordt of niet. Wie is het trouwens?"
„Iemand die jij niet kent. De kleinzoon van één van de bewoners uit het tehuis. Hij komt minimaal één keer in de week zijn oma opzoeken en vaak maken we dan even een praatje."
„Hm, iemand die trouw en zorgzaam is dus. Meid, ga ervoor. Zo iemand kom je vast niet snel meer tegen," lachte Alexandra. „Ik ken tenminste geen enkele man met dergelijke eigenschappen."
„En Arjen dan?"
Alexandra haalde haar schouders op. „Arjen heeft een heleboel goede kwaliteiten, maar zorgzaamheid zit er niet bij. Hij is iemand die verzorgd wil worden en hij heeft mij uitgekozen om dat te doen. Hij verwacht dat er een verse, warme maaltijd op hem staat te wachten als hij uit zijn werk komt en het liefst heeft hij dat ik na het eten de afwas wegwerk terwijl hij op de bank zijn krantje zit te lezen en zijn koffie geserveerd krijgt. Het enige dat er nog aan ontbreekt is dat ik zijn pantoffels aan zijn voeten moet schuiven."
„Dat moet je hem inderdaad maar heel snel afleren," grijnsde Elvira.
Ze ging er vanuit dat Alexandra, zoals meestal, schromelijk overdreef. Ze vertelde dit soort dingen altijd op een droge toon en op zo'n manier dat ze de lachers op haar hand kreeg, zodat het moeilijk was om haar verhalen serieus te nemen. Alexandra fietste echter met een hoofd vol sombere gedachten naar huis. Alles wat ze had gezegd was de realiteit. In de paar weken die ze nu bij Arjen woonde, hadden ze al heel wat ruzie gehad over dat onderwerp. Ze vertikte het om zijn huissloofje te worden terwijl Arjen van mening was dat hij het geld binnenbracht, dus dat zij de huishouding voor haar rekening moest nemen. De totale huishouding, wel te verstaan. Buiten dat was hij bezitterig en jaloers, twee karaktereigenschappen die ze niet eerder opgemerkt had, maar die ineens hevig de kop opstaken bij hem sinds ze samenwoonden.

„Waar was jij vanavond?" vroeg hij dan ook meteen bij haar binnenkomst.
„Bij Elvira. Dat heb ik vanochtend gezegd voor je naar je werk ging," hielp ze hem herinneren.
„Je hebt er anders niet bij gezegd dat je al weg zou zijn voor ik thuiskwam. Er was niets te eten," zei hij beschuldigend.
„Sinds wanneer heb jij geen handen meer aan je lijf om iets klaar te maken? Je hebt hier anderhalf jaar in je eentje gewoond, toen at je toch ook iedere avond?"
„Doe niet zo raar. We wonen nu samen. Jij bent 's middags vroeg thuis, dan is het toch niet vreemd dat jij voor het eten zorgt? Emancipatie vind ik prima, maar je hoeft het niet te overdrijven," zei Arjen geërgerd.
Alexandra tikte met een veelbetekenend gebaar op haar voorhoofd. „Jij hebt geen vrouw nodig, maar een huishoudster."
„Lieverd, waarom doe je toch zo moeilijk? Je verwijt me van alles, maar ik vind niet dat ik onredelijke eisen stel. Kom eens hier."
Hij trok haar in zijn armen en Alexandra verstijfde. Ondanks haar stoere beweringen tegen Elvira die avond, dat ze niet in de slachtofferrol moest blijven hangen, kon ze er altijd slecht tegen als Arjen haar aanraakte. Meestal probeerde ze het niet te laten merken en dwong ze zichzelf zijn liefkozingen te beantwoorden, maar dat lukte niet altijd. Op sommige momenten stond alles wat haar vader gedaan had haar weer helder voor de geest en kreeg ze het benauwd als Arjen zijn handen langs haar lichaam liet glijden.
„Laat dat!" riep ze schel. Ze greep hun meningsverschil dankbaar aan als excuus om onder zijn liefkozingen uit te komen. „Eerst kritiek leveren en dan slijmen, daar ben ik niet van gediend."
„Stel je niet zo aan. We hebben een verschil van mening, dat zal nog wel vaker gebeuren. Samen een huis delen, twee levens delen, vraagt om aanpassingen van beide kanten en dat valt niet altijd mee, maar dat hoeft niet uit te monden in ruzie," trachtte Arjen op kalme toon te zeggen. „Over alles valt te praten en samen komen we daar heus wel uit. Je hoeft niet net te

doen of ik één of ander monster ben omdat ik over sommige dingen anders denk dan jij."
„Dat zeg je nu alleen maar omdat je seks wilt," wierp Alexandra hem onredelijk voor de voeten. „Normaal blijf je niet zo rustig als iets je niet bevalt." Ze wilde niet toegeven dat hij gelijk had, want dan was er geen reden meer om lichamelijk contact te weigeren. Als ze nu ruzie maakte, hoefde ze in ieder geval vanavond niet bang te zijn dat hij een poging in die richting zou wagen, morgen zag ze dan wel weer verder. „Je bent een voorwereldlijk exemplaar, het type holbewoner, iemand die in een vrouw slechts een verzorgster ziet," hoonde ze.
„Je overdrijft," zei Arjen nog steeds kalm. Hij stak zijn handen in zijn broekzakken en balde ze daar tot vuisten, zijn gezicht was bleek vertrokken.
„Natuurlijk, ik had niet verwacht dat je me gelijk zou geven." Met een hooghartig gebaar draaide Alexandra zich om. „Ik moet zeggen dat het samenwonen met jou me behoorlijk tegenvalt." Met haar neus in de lucht liep ze de kamer uit.
Arjen streek met een vermoeid gebaar door zijn haren. „Mij ook," mompelde hij. „Mij ook."

HOOFDSTUK 7

„Goedemiddag."
Elvira keek op van haar werk aan de balie, waar ze de menulijsten aan het doornemen was. Voor haar stond Ray Hoogduin, de man waar ze zo gecharmeerd van was.
„Hallo," groette ze. „Ga je je oma weer eens met een bezoekje vereren? Ze mag wel blij zijn met jou. Eerlijk gezegd zien we hier niet veel bezoek dat zo trouw komt als jij." Ze probeerde luchtig te praten, maar ondertussen bonkte haar hart in haar keel, een uitwerking die Ray altijd op haar had. Hij had haar al diverse keren mee uitgevraagd, maar Elvira had altijd stug geweigerd, onzeker als ze was op het gebied van relaties. Na het gesprek met Alexandra besloot ze nu toch moedig om op zijn voorstel in te gaan. Mits hij het haar nog een keer zou vragen natuurlijk.
„Ik ben juist blij met mijn oma," bekende Ray openhartig. Hij leunde tegen de balie aan en grijnsde een beetje verlegen. „Ze heeft me opgevoed, weet je."
„O?" Vragend keek Elvira hem aan. „Mag ik vragen waarom? Had je geen ouders?"
„Jawel, maar niet het soort waar je blij mee hoeft te zijn." Zijn gezicht vertrok even in een bittere grimas. „Mijn moeder was een alcoholist en mijn vader vluchtte voor de problemen thuis door zich op zijn werk te storten. Toen ik vier was, ontmoette hij een andere vrouw en heeft hij ons laten stikken. Mij ook dus. Ik heb nooit meer iets van hem gehoord."
„Wat erg," zei Elvira geschrokken. „Sorry dat ik er naar vroeg."
„Hoeft niet, hoor. Ik ben verder niets tekort gekomen," vertelde Ray opgewekt. „Mijn oma heeft ingegrepen en mij bij mijn moeder weggehaald, waarna ik een heerlijke, onbezorgde jeugd heb gehad. Mijn opa heb ik nooit gekend, die was al overleden voor mijn geboorte, maar mijn oma is moeder, vader, oma en opa tegelijk voor me geweest. Aan haar heb ik alles te danken. Ik weet niet wat er van me terechtgekomen zou zijn als zij er niet was geweest." Zijn stem klonk warm. „Het minste dat ik voor haar terug kan doen, is haar regelmatig opzoeken nu ze

hier woont. Voor de rest hebben we weinig familie en de meeste van oma's vriendinnen van vroeger leven inmiddels niet meer of zijn zo slecht ter been dat ze daar alleen nog schriftelijk of telefonisch contact mee heeft."
„En je moeder?" informeerde Elvira voorzichtig.
„Leeft ook niet meer." Ray zei het laconiek, maar ze hoorde heel goed de ondergrond van verdriet in zijn stem.
„Het spijt me."
„Ben je gek, zo is het leven nu eenmaal. We krijgen allemaal ons portie. De één wat meer dan de ander, maar niemand ontkomt er aan."
Elvira knikte. „Daar weet ik alles van," zei ze wrang. „Maar enfin, dat is geen onderwerp om hier even tussen neus en lippen door te bespreken."
„Het wordt gewoon hoog tijd dat we eens een keer met elkaar uitgaan. Dan kunnen we tenminste rustig een gesprek voeren in plaats van snel enkele woorden te wisselen tijdens jouw werktijd," zei Ray.
Elvira hield even haar adem in. Dit voorstel had hij al verschillende malen gedaan, maar nu klonk zijn stem luchtig en plagend, zodat ze betwijfelde of het serieus bedoeld was. Weigeren, zoals ze altijd deed, was de makkelijkste weg, maar ze had niet voor niets besloten om niet langer de weg van de minste weerstand te kiezen.
„Meen je dat echt?" vroeg ze dan ook.
„Lieve schat, ik vraag nooit iets dat ik niet meen," verzekerde Ray haar. „Trouwens, ik heb het je nu al zo vaak gevraagd dat je dat zou moeten weten."
„Oké dan," hakte Elvira ineens moedig de knoop door. „Het lijkt me erg gezellig om een keertje met je uit te gaan."
„Echt waar?" vroeg hij nu op zijn beurt verrast. Hij was al zo gewend aan haar afwijzingen dat hij dit niet verwachtte. „Fantastisch! Wat dacht je van vanavond?" stelde hij direct voortvarend voor.
„Prima. Om acht uur?"
„Halfzeven, want ik wil met je uit eten," zei Ray beslist. „Ik verheug me erop. Dan ga ik nu naar mijn oma, want dat arme mens

weet niet waar ik blijf zo langzamerhand. Tot vanavond, Elvira."
Ze groette hem terug en bleef hem nakijken tot hij aan het einde van de lange gang de hoek omsloeg. Haar hart bonsde wild. Ze had het gedaan! Ze had 'ja' gezegd! Trillerig liet ze zich op de stoel achter de balie zakken, want ineens had ze het gevoel dat haar benen haar niet langer konden houden. Ze had een echt afspraakje met een man, voor het eerst van haar leven. Alexandra zou trots op haar zijn, grinnikte ze in zichzelf. Ze probeerde zich weer op haar werk te concentreren, maar werd afgeleid omdat er een schaduw over haar papieren heen viel. Opkijkend zag ze opnieuw Ray voor de balie staan.
„Je hebt je toch niet bedacht, hè?" vroeg ze met een mengeling van angst en opluchting.
„Ik wil weten waarom je nu ineens wel toestemde," zei hij ernstig. „Komt dat door mijn verhaal over het verleden? Als je alleen met me uit wilt omdat je medelijden met me hebt, zie ik er liever vanaf, hoe erg ik dat ook zou vinden."
Elvira keek in zijn eerlijke, blauwe ogen en voelde de angst van haar afglijden. Ray had geen dubbele bodem, besefte ze. Hij was open en eerlijk en schuwde rechtstreekse confrontaties niet, omdat hij niets te verbergen had.
„Ik heb toegestemd omdat ik heel graag met je uit wil," zei ze eenvoudig. „Mijn eerdere weigeringen lagen niet aan jou, maar aan mezelf. Demonen uit het verleden, om het zo maar eens te zeggen."
„Zijn die nu verdwenen?" wilde hij weten.
„Nee, maar ik hoop ze te kunnen overwinnen."
„Dat gaat je vast lukken." Hij knikte haar warm toe en verdween voor de tweede keer uit het zicht.
Weer boog Elvira zich over haar lijsten heen, maar het had haar nog nooit zoveel moeite gekost om zich op haar werk te concentreren als die dag. Ze had het gevoel dat plotseling de hele toekomst voor haar open lag. Een mooie, zonnige toekomst.

Vandaag was het zover. De eerste dag in haar nieuwe huis, tevens de eerste dag van haar nieuwe leven. Haar vrije dagen had Amanda benut om de huurwoning zoveel mogelijk in te richten, met hulp van een paar vriendinnen en hun mannen. Gisteravond laat waren haar laatste spullen overgebracht en daarna was ze als een blok in slaap gevallen in het vreemde bed. Nu was het zes uur in de ochtend en kon ze de slaap niet meer vatten. Met een beker hete koffie in haar handen drentelde ze door de kamers. Ze voelde zich ontheemd in dit huis wat van nu af aan het hare zou zijn, maar wat nog niet vertrouwd aanvoelde.

Timo en Bennie waren nog in diepe rust, constateerde ze met een blik in hun kamers. Hun kamertjes had ze ingericht met de spullen uit het oude huis. Ze had alles zoveel mogelijk op dezelfde manier neergezet, in de hoop dat haar zoontjes zich dan sneller thuis zouden voelen. Die twee kamers waren klaar, wat van de rest van het huis nog niet gezegd kon worden. Overal stonden dozen, koffers en vuilniszakken die nog uitgepakt moesten worden. De muren grijnsden haar kaal tegemoet. De diverse meubelstukken waren op willekeurige plaatsen neergezet, omdat Amanda nog geen idee had hoe ze het wilde hebben. De keuken was gelukkig wel al ingeruimd, zodat ze in ieder geval een ontbijt voor hun drieën kon maken, bedacht ze. Ze moest vandaag gewoon weer aan het werk, dus de rest zou toch moeten wachten tot het weekend. Het fulltime werken betekende een aanslag op haar energie. Als ze 's avonds thuiskwam was ze nergens meer toe in staat, wist ze inmiddels uit ervaring. Het koken van een maaltijd en het in bed leggen van de jongens kon ze nog net opbrengen, maar dan had ze het ook wel gehad. Ze moest er niet aan denken om dan ook nog dozen uit te moeten pakken, al zag ze er tegenop om nog dagen lang in de troep te zitten. Enfin, het kon even niet anders. In ieder geval was ze weg bij Rudi en dat was heel wat waard. De constante spanning tussen hen en de ruzieachtige gesprekken die hij iedere keer op gang bracht, braken haar ook op.

Toen ze voor de laatste maal de deur van hun huis achter zich dicht had getrokken, stond Rudi met een verbeten gezicht voor het raam. Zijn handen zaten verstopt in zijn broekzakken en Amanda wist wel zeker dat hij ze tot vuisten had gebald. Ze

kende hem zo goed dat ze precies wist hoe hij zich voelde op dat moment. Leeg, verslagen, verdrietig en kwaad tegelijk. Toch had ze geen medelijden met hem. Iedereen in hun gezin kampte momenteel met dat soort gevoelens, Rudi was daar zelf de aanstichter van. Hij moest de gevolgen van zijn daden ondergaan, net als zij allemaal. Deze situatie viel voor niemand mee en haar afkeer van Rudi groeide met iedere nieuwe taak waar ze plotseling voor kwam te staan. Twintig jaar lang had Amanda een veilig, beschermd leven geleid, nu moest ze ineens alles in eigen hand nemen.
Ze was nu een zelfstandige, jonge vrouw, die in haar eentje twee kleine kinderen verzorgde en opvoedde en daarnaast fulltime werkte. Heel modern en geëmancipeerd, dacht Amanda spottend bij zichzelf terwijl ze onder de douche stond. Precies datgene wat ze nooit had geambieerd. Duizenden vrouwen leefden tegenwoordig zo. Veel daarvan uit vrije wil, maar even zoveel gedwongen door omstandigheden.
Ze was net klaar met zich wassen en aankleden toen Timo en Bennie de keuken inkwamen, de laatste wreef nog slaperig door zijn ogen.
„Goedemorgen. Hebben jullie lekker geslapen in dit nieuwe huis?" vroeg Amanda zo opgewekt mogelijk.
Bennie bromde wat en Timo knikte. „Wanneer gaan we terug naar papa?" vroeg hij toen.
Amanda, die net nog een kop koffie in wilde schenken, bleef even verstard staan, met de pot dwaas naar voren gestoken in haar handen.
„Mama en papa gaan nooit meer bij elkaar wonen," antwoordde ze met moeite. „Dat heb ik je toch al uitgelegd?"
Timo schokte onwillig met zijn schouders. „Nou en? De vader en moeder van Kim uit mijn klas gingen ook scheiden, maar nu zijn ze weer samen, zei Kim."
„Dat is fijn voor haar, maar bij ons zal dat niet gebeuren," zei Amanda kalm. Met trillende handen zette ze de koffiekan neer. Ze had het gevoel dat ze hem niet langer kon houden en hij ieder moment op de grond kon vallen.
„Waarom niet?" dramde Timo door.

Bennie zei niets, maar hij keek met grote ogen van zijn moeder naar zijn broer, benieuwd hoe dit gesprek af zou lopen. Ook hij miste zijn vader. Het liefst zou hij willen dat alles weer net als vroeger werd en hij begreep niet waarom dat niet mogelijk was.
Amanda zuchtte. Ze dacht dat haar twee jongsten de situatie aanvaard hadden zoals zij was, maar dat bleek nu toch te simpel te zijn. Als ze eenmaal doorhadden dat deze verhuizing echt definitief was, kon dat nog wel eens problemen gaan geven.
„Sommige mensen gaan apart wonen omdat ze vaak ruzie hebben en even rust willen hebben, maar die houden dan nog wel van elkaar," probeerde ze uit te leggen. „Maar bij de meeste mensen die gaan scheiden is het voor altijd."
„Houden die dan niet meer van elkaar?" wilde Timo weten.
„Juist," bevestigde Amanda. „En zo is het ook bij mama en papa. Als een mama en een papa niet meer van elkaar houden, kunnen ze beter niet meer samen zijn, want dan maken ze toch steeds maar ruzie. Dat vind je toch ook niet leuk?"
„Papa houdt wel van jou," zei Timo daarop. „Dat heeft hij zelf gezegd."
„Dat was vroeger, nu niet meer," zei Amanda kortaf. In stilte verwenste ze Rudi. Hoe kwam hij erbij om dit tegen zo'n klein kind te zeggen in hun omstandigheden? Was het soms zijn bedoeling om hun zoontjes tegen haar op te zetten? Of zou hij werkelijk hopen dat dit de manier was om haar terug te krijgen? Nou, dat laatste kon hij vergeten, want ze zou het nooit meer kunnen verdragen om in zijn nabijheid te zijn. Iedere keer als ze hem zag, voelde ze bijna lijfelijk de angst en het verdriet van haar dochters. Dat kon ze hem nooit vergeven.
„Maar als jullie..." begon Timo weer.
„Hou er nu maar over op en ga eten," gebood Amanda streng. „Anders kom jé te laat op school." Zelf liep ze snel de keuken uit. Tegen dit soort gesprekken was ze niet bestand. Het liefst zou ze haar zoons toe willen schreeuwen dat hun vader een smeerlap was die niet met zijn handen van zijn eigen dochters af had kunnen blijven, maar ze begreep dat ze dat niet kon maken. Het zou trouwens niet helpen en de situatie alleen nog maar erger maken. Ze mocht die twee kleintjes niet met derge-

lijke informatie opzadelen en moest koste het wat kost haar zelfbeheersing zien te houden bij Timo's talloze vragen. Ze had nooit geweten hoe moeilijk dat was.
Met het gevoel dat ze al een hele werkdag achter de rug had, liep Amanda om kwart over acht de deur uit om haar zoons naar school te brengen en zelf naar het warenhuis te gaan. Ze vroeg zich af hoe ze de dag door moest komen. Ze was zo moe dat ze staandend zou kunnen slapen. Op het moment dat ze haar deur uitstapte, ging ook de huisdeur naast haar open. Een man van een jaar of vijftig met een Surinaams uiterlijk kwam naar buiten. Hij bleef staan toen hij Amanda ontwaarde.
„Ha, mijn nieuwe buurvrouw," zei hij monter in accentloos Nederlands. Hij stak haar spontaan zijn hand toe. „Glenn Ramratansingh."
„Amanda Veerman. Nee, Hagenbeek," verbeterde Amanda zichzelf, haar meisjesnaam noemend.
„Al een beetje gewend aan je nieuwe woning?" vroeg Glenn belangstellend. „Het zag er nog netjes uit, hè? Ik kende de vorige bewoners vrij goed, ze deden veel aan het huis, wat nu een voordeeltje voor jou is."
Hij sloeg op zijn gemak zijn armen over elkaar heen, alsof hij van plan was een uitgebreid gesprek te gaan voeren, maar Amanda had haast. Bennie stond al aan haar jas te trekken dat ze mee moest gaan terwijl Timo verveeld tegen de muur aan schopte.
„Sorry, ik moet gaan," verontschuldigde Amanda zich dan ook met een gebaar naar haar zoons. „Ze moeten naar school."
„Het was leuk om even kennis te maken. Waarom kom je straks niet een kop koffie halen, zodat we de kennismaking voort kunnen zetten?" vroeg Glenn voortvarend. „Ik vind het altijd belangrijk dat naaste buren goed met elkaar overweg kunnen. Je hebt elkaar vaak genoeg nodig, zeg ik altijd maar."
„Geen tijd. Als ik deze twee belhamels op school heb afgeleverd moet ik meteen door naar mijn werk en 's avonds ben ik te moe om nog iets te ondernemen. Misschien een keertje in een weekend, als ik wat op orde ben," beloofde Amanda.
Glenn knikte. „Zeker pas gescheiden?" begreep hij meteen,

alsof hij er alles van afwist. „Als je ergens hulp bij nodig hebt, geef je maar een gil."
Hij zwaaide ten afscheid en liep door, zodat Amanda ook haar weg kon vervolgen. Aardige man, oordeelde ze toen ze hem nog even nakeek. Als zijn vrouw net zo spontaan en hartelijk was, had ze daar goede buren aan. Dat kon inderdaad nog wel eens van pas komen, zoals hij zelf al aangegeven had, peinsde ze. Timo en Bennie gingen nu iedere dag naar de naschoolse opvang, waar ze ook tijdens de schoolvakanties terechtkonden, maar Amanda kreeg al nachtmerries bij het idee dat één van haar kinderen ziek zou worden en thuis moest blijven. In dat geval had ze toch een oppas nodig en op dit moment zou ze niemand weten. Ze hoopte in deze nieuwe buurt genoeg contacten op te doen om eens op iemand terug te kunnen vallen in noodsituaties. Een goede verstandhouding met haar buren was in ieder geval een goed begin op dat gebied. Ze besloot snel op Glenns spontane uitnodiging in te gaan, al wist ze dan nog niet waar ze de tijd en de energie vandaan moest halen.
Op het schoolplein zoende ze haar kinderen uitgebreid gedag. Bennie vond het allemaal prima. Hij ging graag naar school toe en huppelde dan ook onbezorgd zijn klaslokaal in, maar Timo klemde zich voor de deur van zijn klas nog even aan Amanda vast.
„Kom je ons vroeg halen vandaag?" vroeg hij met een bleek snoetje.
Amanda vond het vreselijk om hem teleur te stellen, maar ze moest tot halfzes werken. Dat was toch al coulant van haar werkgever, want de winkel was open tot zes uur en daarna moesten de kassa's nog worden opgemaakt en opgeruimd. Voor halfzeven waren haar collega's nooit klaar, maar omdat Amanda afhankelijk was van de naschoolse opvang, die om zes uur sloot, waren haar werktijden aangepast. Daardoor voelde ze zich wel verplicht om ook iedere dag tot stipt halfzes te blijven en wilde ze niet af en toe een uurtje eerder vrij nemen om haar kinderen te halen, ook niet als het rustig in de winkel was. Ze wist echter dat Timo er een hekel aan had om naar de naschoolse opvang te gaan. Hij speelde na schooltijd altijd het

liefst in zijn eigen kamertje. Vaak met Bennie, maar ook zonder moeite alleen. Hij had altijd genoeg te doen en vermaakte zich prima in zijn eentje, maar nu werd hij gedwongen om iedere middag met een groep kinderen om te gaan. Kinderen die niet accepteerden dat hij anders was dan de rest en die hem hadden uitgezocht als het mikpunt van hun pesterijen.
„Weet je wat? Als we vanavond thuiskomen gaan we pannenkoeken bakken," stelde Amanda voor, in een poging een lachje op zijn gezicht te laten komen. Het lukte maar ten dele.
Met een zwaar hart toog ze aan het werk. Ze had het gevoel aan alle kanten te falen de laatste tijd. Haar huwelijk was mislukt, haar dochters hadden voortijdig het ouderlijk huis verlaten omdat zij ze niet had kunnen beschermen, haar zoons werden gedwongen om zich aan te passen aan leefomstandigheden die ze niet wilden en op haar werk lukte het haar niet om zich voor honderd procent in te zetten, hoe graag ze dat ook wilde.
In haar lunchpauze deed Amanda de boodschappen voor het beloofde pannenkoekenmaal, zodat ze die dag geen tijd had om even rustig een boterham te eten. Maar beloofd was beloofd, al had ze allang spijt van haar impulsieve voorstel aan Timo. Normaal koken was tegenwoordig al een enorme opgave, laat staan in een kleine, hete keuken een stapel pannenkoeken bakken met twee drukke, uitgelaten kinderen om zich heen om daarna alle vettigheid weer schoon te moeten maken. Enfin, dat redde ze ook wel weer, hield Amanda zichzelf voor. Het was tenslotte belangrijk dat ze rekening hield met haar kinderen, die leden al genoeg onder alles.
Toen ze die avond eenmaal bezig was met bakken, vond ze het toch wel gezellig. Timo en Bennie toonden zich duidelijk verheugd over dit feestmaal. Alles beter dan groente, wat hen betrof. Ze hielpen hun moeder dapper mee, wat vooral bestond uit het in de weg lopen, maar dat vond Amanda niet erg. Ze genoot van hun opgetogen gezichtjes en het drukke gebabbel. Voor het eerst sinds weken was er weer eens een gezellige sfeer in huis en dat was haar heel wat waard. Zelfs haar moeheid leek wat minder.
Het einde van de stapel pannenkoeken was in zicht en zowel de

tafel als de vloer zaten vol stroopvlekken en suikerkorrels, toen de bel ging. Timo rende naar de gang. Even later kwam hij enthousiast de keuken weer inlopen, met Rudi in zijn kielzog.
„Het is papa!" deelde hij stralend mee. „Zie je dat, mam? Papa, wil je ook een pannenkoek? Wij hebben ze samen met mama gebakken."
„Lekker," lachte Rudi. Hij schoof aan bij de keukentafel en Timo schoof behulpzaam een bord naar hem toe.
„Met stroop zijn ze het allerlekkerst," prees hij aan.
„Nou, dan zal ik dat eens proberen." Onder grote belangstelling van zijn kinderen pakte Rudi de fles met schenkstroop en versierde zijn pannenkoek ermee, waarna hij er met smaak van begon te eten. „Hm, heerlijk," prees hij vervolgens. „Er is niemand die ze zo lekker kan maken als jullie. Met een beetje hulp van mama natuurlijk." Hij knipoogde naar haar alsof er niets tussen hen voorgevallen was en ze een normaal gezin vormden met zijn vieren.
„Wat kom je doen?" vroeg Amanda met een strak gezicht. Het liefst zou ze hem direct weer buiten de deur zetten, maar vanwege Timo en Bennie moest ze zich inhouden. Rudi was hun vader, dat was iets dat ze nooit uit het oog mocht verliezen.
„Ben ik niet welkom?" beantwoordde Rudi dat met een tegenvraag.
„Natuurlijk wel," antwoordde Timo in Amanda's plaats. Hij kroop tegen Rudi aan, iets wat Amanda met verbazing aankeek. Normaal was Timo nooit zo aanhankelijk tegenover zijn vader. Zijn gedrag was voor haar het bewijs dat hij leed onder de scheiding en dat maakte het haar onmogelijk om hard tegen Rudi in te gaan. Ze negeerde hem verder zoveel mogelijk en bracht de keuken aan kant terwijl Rudi een spelletje met zijn zoons deed. Om acht uur brachten ze de kinderen samen naar bed.
„Net als vroeger," zei Rudi met weemoed in zijn stem.
Amanda hield met moeite de opmerking in dat hij dit klusje vroeger altijd aan haar had overgelaten. Na nog een laatste welterustenzoen sloot ze de deuren van de kinderkamers achter zich.

„Je hebt je zoons gezien, nu kun je wel weer weggaan," zei ze kil.
„Ik moet met je praten," zei Rudi echter. Zonder op een uitnodiging te wachten liep hij de huiskamer in en nam plaats op de leren bank, die Amanda voor een prikkie op de kop had getikt bij een kringloopwinkel. De blik die hij over de inrichting liet gaan was geringschattend, maar hij hield daar wijselijk zijn mond over.
„Amanda, ik mis je," zei hij in plaats daarvan. „Vind je niet dat deze onzin nu lang genoeg heeft geduurd? Jij hebt je standpunt meer dan duidelijk gemaakt en ik ben bereid om toe te geven dat ik fout ben geweest. Het spijt me, oké? Kom alsjeblieft weer terug. Het is stil in huis zonder jou en de kinderen."
Amanda luisterde verbijsterd naar het gemak waarmee hij over haar gevoelens heenwalste. Het speet hem. Dacht hij nu werkelijk dat dat genoeg was om alles terug te draaien? Zou hij serieus denken dat ze hem dit zomaar kon vergeven?
„Je hebt behoorlijk wat lef, hè?" zei ze met een vreemd lage stem. Ze stond nog steeds in de deuropening van de huiskamer, haar vuisten gebald langs haar lichaam. „Wat jij hebt gedaan is nooit en te nimmer goed te maken, zeker niet met slechts een simpele spijtbetuiging. De levens van onze dochters liggen in puin, dankzij jou."
„Ach kom, dat is zwaar overdreven. Ik heb fouten gemaakt, dat geef ik toe, maar verder ben ik een goede vader geweest. Ik heb altijd hard gewerkt om mijn gezin alles te kunnen geven wat ze wilden, maar dat telt nu ineens niet meer. Plotseling, na jaren, komen die meiden ineens met allerlei beschuldigingen en breek jij alles af wat we samen hadden. Besef je wel dat Elvira en Alexandra momenteel willens en wetens bezig zijn om ons huwelijk kapot te maken? En als het aan jou ligt, lukt dat ze nog ook. We hebben ze teveel verwend, dat is het probleem."
„Ik wens hierover niet met jou in discussie te gaan." Onverzettelijk hield Amanda haar blik op hem gericht, ze weigerde haar ogen neer te slaan. Slechts de gedachte aan haar twee zoontjes weerhield haar ervan om te gaan schreeuwen en een ordinaire ruzie te maken.

„We kunnen er toch op zijn minst over praten," probeerde Rudi nog eens.
„Nee, we zijn uitgepraat. Ik kan je helaas niet beletten om je kinderen te zien, maar wij hebben elkaar niets meer te melden. Ik wil dat je weggaat."
Zwijgend liep hij langs haar heen naar buiten, hij begreep dat hij op dit moment beter verder zijn mond kon houden. Amanda had meer tijd nodig, dacht hij. Hij moest dit voorzichtig aanpakken en niets forceren.
Net als die ochtend kwam Glenn Ramratansingh ook net naar buiten toe. Hij groette vriendelijk, maar Rudi negeerde hem en Amanda knikte alleen stug. „Problemen, buurvrouw?" vroeg hij nonchalant, maar met een waakzame blik in zijn ogen.
„Niets wat ik zelf niet aankan," antwoordde Amanda.
Met uiterste zelfbeheersing sloot ze de deur heel zachtjes achter Rudi. Ze moest toch maar eens snel op de spontane uitnodiging van die Glenn ingaan, dacht ze terwijl ze even vermoeid tegen de muur leunde. Wie weet wat een leuke vriendschap ze kon opbouwen met dat echtpaar en een paar goede vrienden was precies wat ze nu nodig had. Het zou heel prettig zijn geweest als ze nu iemand had bij wie ze haar hart kon luchten.

HOOFDSTUK 8

Om kwart over zes die avond drentelde Elvira al rusteloos door haar kamer heen en weer, in afwachting van het moment dat Ray haar kwam halen. Zenuwachtig vroeg ze zich af hoe hun afspraakje zou verlopen. Hij wilde met haar uit eten, wat ook inhield dat ze gesprekken zouden voeren. Wat dat betrof zou een bioscoopbezoek haar beter uitkomen, dacht Elvira somber bij zichzelf. Ze had alweer spijt van haar toezegging. Wat moest ze zeggen als het gesprek op het persoonlijke vlak kwam? En dat zou onherroepelijk gebeuren, tenslotte konden ze moeilijk de hele avond over het weer blijven praten. Maar vanochtend, toen hij bij zijn oma op bezoek kwam, was het gesprek ook al aardig persoonlijk geweest, herinnerde ze zich toen. Weliswaar voornamelijk van zijn kant, maar toch. Ray was in ieder geval iemand die vlot praatte en goed kon luisteren, voor zover ze hem kende.

Voor de zoveelste maal inspecteerde Elvira haar uiterlijk voor de grote spiegel naast haar kamerdeur. Ze zag er goed uit, al zei ze het zelf. Haar make-up was niet te opvallend, maar wel geraffineerd en haar lange, roodbruine haren vielen perfect om haar gezicht heen. Ze had ze net nog even snel gewassen en er wat glanslak overheen gespoten, waardoor haar haren in het licht van de lamp koperrood leken. Ray keek haar dan ook bewonderend aan toen ze na zijn belletje de trap afliep en naar buiten ging.

„Je ziet er prachtig uit," complimenteerde hij haar gemeend. „Heel anders dan op je werk, met dat losse haar."

„Op mijn werk is een staart of een knot nu eenmaal makkelijker," zei Elvira.

Ze voelde zich vreemd gespannen in zijn gezelschap en zocht in de auto naar onderwerpen om het gesprek gaande te houden.

„Je hoeft jezelf geen geweld aan te doen om per se te praten, hoor," zei Ray echter. „Een stilte hoeft niet per definitie ongemakkelijk te zijn."

„Als ik lang mijn mond hou, ben ik bang dat je me een saaie piet vindt en dat je spijt krijgt van je uitnodiging," bekende Elvira.

Hij schoot in een hartelijke lach. „Nooit," verzekerde hij haar toen. „Ik ben veel te blij dat je eindelijk toegestemd hebt. Ik had me vanochtend voorgenomen dat het vandaag de laatste keer was dat ik het je zou vragen."
„Dan ben ik blij dat ik deze keer ja heb gezegd."
„Ik ook."
Ray keek even snel opzij en lachte naar haar. Plotseling voelde Elvira zich een stuk beter op haar gemak en ze kreeg echt zin in dit uitje. Behaaglijk leunde ze achterover tegen de rugleuning van haar stoel. „Waar gaan we eigenlijk heen?" wilde ze weten.
„Naar een Italiaans restaurantje net even buiten de stad. De spaghetti en de pizza's die ze daar maken zijn nog lekkerder dan in Italië zelf. Tenminste..." Ineens keek hij verschrikt. „Als je daar tenminste van houdt. Zo niet, dat moet je het zeggen, hoor. Dan gaan we alsnog ergens anders heen."
„Ik ben dol op pizza," stelde Elvira hem echter gerust. „Nu ik op mezelf woon, eet ik het zeker één keer in de week, zowel in restaurants als uit de diepvries als zelfgemaakte. Ik heb dan ook heel wat vergelijkingsmateriaal, dus jouw restaurant moet echt wel topklasse zijn wil je me tevreden kunnen stellen."
„Het zal je vast niet tegenvallen," verzekerde Ray haar.
Ze hadden inmiddels de rand van de stad bereikt en hij vond feilloos de weg naar het grote restaurant, dat er van binnen, ondanks de enorme ruimte, heel knus uitzag.
„Het interieur valt in ieder geval mee," keurde Elvira. „Iets dat je van buiten niet zou zeggen. Ik vind dit overigens een rare locatie voor een restaurant, zo ver overal vandaan. Ik zou het zelf nooit gevonden hebben."
„Vroeger zat deze zaak midden in het centrum, maar daar was het zo klein dat ze al snel hun klanten niet meer kwijt konden," vertelde Ray terwijl hij Elvira's jas aanpakte en een stoel voor haar aanschoof.
Het viel haar op hoe vanzelfsprekend hij deze handelingen deed, zonder als een uitslover over te komen. De voordelen van oma's opvoeding, grinnikte ze in zichzelf. „Ondanks de ongebruikelijke locatie hebben ze dit pand meteen gekocht toen het

vrij kwam, vanwege de ruimte. Alle vaste klanten rijden graag een stuk extra om hier te komen eten en door de mond-totmondreclame, de beste aanbeveling die een zaak kan hebben, zit het hier altijd stampvol. Bijkomend voordeel is dat dit restaurant erg goedkoop was, juist vanwege de ligging. De vorige eigenaar, die hier een gewoon restaurant dreef, is daarop failliet gegaan."

„Je weet er nogal wat vanaf," merkte Elvira op.

„Ik eet hier regelmatig en maak vaak een praatje met de eigenaar. Ik ben nu eenmaal geïnteresseerd in mensen. Buiten dat ben ik een enorme kletskous, wen daar maar vast aan," waarschuwde Ray haar lachend.

„Wat doe je eigenlijk voor werk? Iets waarbij je praatkwaliteiten van pas komen?" vroeg Elvira. Ze zette haar ellebogen op tafel en leunde met haar kin op haar handen. Haar bovenlichaam was belangstellend naar hem toegebogen. Haar aanvankelijke terughoudendheid was verdwenen. Ray was zo'n innemende en vlotte persoonlijkheid dat ze dat onmogelijk vol kon houden. Hij trad mensen open tegemoet, waardoor hij zijn gesprekspartners ontwapende.

„Ik ben gymleraar op een middelbare school. Lichamelijk gezien inspannend werk, maar praten is inderdaad ook hard nodig bij die pubers. Zeker tegenwoordig. Het geweld op de scholen groeit explosief de laatste jaren." Zijn blik versomberde even. „Een collega van me is een paar maanden geleden in elkaar geslagen omdat hij een jongen uit de les had gezet en de conciërge zit momenteel overspannen thuis omdat hij zo vreselijk is bedreigd dat hij niet meer op school durft te komen. En weet je waarom? Omdat hij een jongen een reprimande gaf toen hij troep naast de prullenbak gooide in plaats van erin. Die gozer ging volledig door het lint en schreeuwde tegen de conciërge dat hij hem zou afmaken. Zomaar, waar iedereen bijstond, in een volle kantine. En het ergste is dan nog dat niemand hem ervoor op zijn vingers tikte, maar zijn hele klas erbij stond te juichen alsof het om een heldendaad ging. Zo voelen ze dat volgens mij ook. Hoe stoerder, hoe beter. Tegenwoordig dwing je onder je vrienden geen respect meer af met alleen een

brutale mond, er moet geweld aan te pas komen voor ze bewondering voor je hebben."
„Is het echt zo erg?" vroeg Elvira. „Natuurlijk hoor en lees je wel eens over geweld op scholen, maar ik dacht dat het wel meeviel. Overal is tegenwoordig geweld waar veel mensen bij elkaar zijn, erg genoeg."
„Het werken op scholen wordt je steeds meer onmogelijk gemaakt. Niet alleen vanwege de agressieve leerlingen trouwens, het beleid vanuit de overheid klopt ook niet. Maatregelen zijn er niet of onvoldoende en de strafmaat is veel te laag. In plaats van te proberen de agressie zelf aan te pakken, wordt er gezocht naar manieren om ermee om te gaan. Onzin vind ik dat. Als je leert hoe je er mee om moet gaan, ga je het beschouwen als een normale situatie en dat mag niet gebeuren. Geweld en agressie horen nooit normaal te worden," zei Ray ernstig.
„Ik denk dat alcohol en drugs hier ook een grote rol in spelen," zei Elvira. „Op de één of andere manier komen kinderen daar tegenwoordig heel makkelijk aan en ze schijnen er ook geld genoeg voor te hebben. Eerlijk gezegd begrijp ik daar ook weinig van. Van die paar gulden zakgeld die ik thuis kreeg, kon ik die troep echt niet betalen en het geld van mijn bijbaantje mocht ik echt niet zomaar uitgeven van mijn ouders. Een gedeelte ging er sowieso al naar mijn spaarrekening en van de rest moest ik ook verantwoording afleggen."
„Wees maar blij met zo'n degelijke opvoeding," knikte Ray.
Er gleed even een bittere trek om Elvira's mond bij zijn woorden, iets dat hem niet ontging. Iets in Elvira's jeugd klopte niet, constateerde hij. Dat gevoel had hij vaker gekregen bij haar. Hij besloot er echter niet naar te vragen. Vertrouwen was niet iets dat je af kon dwingen, dat moest spontaan komen. Hij hoopte dat ze er zelf ooit mee voor de dag zou komen, zonder vragen van zijn kant. In plaats daarvan ging hij op haar woorden in.
„Natuurlijk zijn drugs en alcohol van invloed, maar wat mij opvalt is dat dat dan als excuus wordt gebruikt," zei hij. „Onder het mom dat de dader er zelf niets aan kan doen omdat hij dronken of stoned is. Ik vind dat persoonlijk juist een reden voor een hogere straf. Iedereen kan zelf bepalen hoeveel hij

drinkt of snuift of wat dan ook. Als je daar te ver in gaat, moet je ook de gevolgen dragen."
„Dat ben ik helemaal met je eens." Elvira nam een slokje van haar bitter lemon en staarde even peinzend naar haar glas. „Ik begrijp toch niet wat mensen eraan vinden om zich helemaal lam te zuipen. Wat bereiken ze ermee, wat voor plezier halen ze daar uit? Een collega van me is iedere zaterdagavond hartstikke dronken en kan op zondag haar bed niet uitkomen omdat ze zich zo beroerd voelt. Toch vindt ze dat blijkbaar geen bezwaar om er mee door te gaan. Ze schept er zelfs over op tijdens het werk en ze beschouwt mij als heel zielig omdat ik er andere ideeën op na hou."
„Dan is ze de puberteit nog niet ontgroeid blijkbaar. Ik zie dergelijk gedrag op school heel vaak," zei Ray droog. „Onder pubers is dat ook redelijk normaal, maar ik heb ook mijn bedenkingen bij volwassenen die zich zo opstellen. Wat overigens niet wil zeggen dat ik nooit dronken ben, hoor. Het loopt bij mij ook wel eens uit de hand."
„Bij mij niet," bekende Elvira. „Ik vrees dat ik heel erg saai ben wat dat betreft. Ik drink niet, ik rook niet en ik gebruik geen drugs. Ik heb zelfs nog nooit een jointje gerookt."
„Dat vind ik eerder een pluspunt dan een nadeel." Ray bedankte de serveerster die hun bestelde pizza's op tafel zette en begon met smaak te eten. „We zijn anders wel direct in de serieuze hoek beland zeg, met ons gesprek. Sorry, het was niet mijn bedoeling om zo'n zwaar onderwerp aan te snijden tijdens een gezellig etentje."
Elvira lachte naar hem. „Ik vind dit stukken beter dan zo'n gedwongen oppervlakkig gesprek. Je kunt elkaar nooit goed leren kennen als je alleen beleefdheden uitwisselt en niet dieper op bepaalde zaken in durft te gaan. Ik heb het hartstikke naar mijn zin, Ray, dus je hoeft niet bang te zijn dat je me afschrikt met je verhalen."
„Gelukkig maar. Hoe vind je de pizza trouwens?" veranderde hij van onderwerp.
„Heerlijk. Je hebt echt geen woord teveel gezegd. Maar daar zit natuurlijk wel een groot nadeel aan."

„O ja? Wat dan?"
„Ik ben nu voorgoed verpest op dit gebied. Na deze maaltijd hoef je bij mij natuurlijk niet meer aan te komen met een pizza uit de diepvries van de supermarkt of met een zelfgemaakt lapje deeg met beleg."
„Tja, dan zit er maar één ding op." Ray's lachende ogen lagen vast in de hare en Elvira voelde dat haar hart een vreemd sprongetje maakte. „Dan zal je voortaan iedere week een keer met me mee moeten hierheen."
„Heel graag." Ze wilde dit luchtig zeggen, maar haar stem klonk hees.
Ray legde zijn bestek neer en pakte haar handen vast. Elvira's lichaam reageerde meteen op deze aanraking. Het leek wel of al haar organen tikkertje aan het spelen waren. Het bloed joeg naar haar wangen en ze sloeg verlegen haar ogen neer. „Alleen voor het eten natuurlijk," mompelde ze onzeker, maar Ray lachte haar hartelijk uit.
„O nee, je kunt me niet voor de gek houden. Ik weet dat je me heel erg leuk en aantrekkelijk vindt en dat je graag zoveel mogelijk van mijn gezelschap wilt genieten," plaagde hij. „En zal ik je eens iets vertellen? Het is volkomen wederzijds." Nu klonk zijn stem serieus. „Ik mag je heel erg graag, Elvira. De eerste keer dat ik je in het bejaardentehuis zag, maakte je al een diepe indruk op me en dat is alleen maar erger geworden, zeker na vanavond. Ik hoop dat we nog heel vaak uit zullen gaan samen."
„Ik ook." Het klonk zo zacht dat het bijna niet te verstaan was, maar Ray had het gehoord en hij knikte tevreden. Elvira's muur van afweer was deze avond een behoorlijk stuk afgebrokkeld. Het zou vast niet lang duren voor hij helemaal wegviel en hij de echte Elvira te zien zou krijgen, de Elvira waar hij al steeds een glimp van opving en die hem steeds beter beviel. Met zijn zesentwintig jaar was Ray geen groentje meer op het gebied van relaties, hij had echter nog nooit een meisje ontmoet dat zijn hart zo wist te raken als Elvira. Haar karakter was niet makkelijk te doorgronden, maar het was zeer zeker de moeite waard om daaraan te werken. Elvira was tenminste niet zo'n leeg-

hoofdige barbiepop die alleen met haar uiterlijk bezig was en waar geen zinnig woord mee te praten viel. Ray herinnerde zich nog goed de laatste keer dat hij een meisje mee had genomen naar zijn favoriete restaurant. Het kind had hem precies voorgerekend hoeveel calorieën er in haar maaltijd zaten en hoewel ze erg hongerig keek had ze toch ruim de helft van haar pizza laten staan. „Ik wil niet dik worden," had ze als reden daarvoor opgegeven. Hij had zich kapot geërgerd en het was meteen de laatste keer dat hij met haar uitgegaan was. Gelukkig was Elvira anders. Haar figuur was niet superslank, maar normaal geproportioneerd en ze had met smaak haar hele bord leeggegeten.
„Ben jij niet bang voor je lijn?" kon hij niet nalaten te informeren, benieuwd naar haar antwoord.
Elvira keek hem oprecht verbaasd aan bij deze vraag. „Nee, hoezo? Ik loop de hele dag op mijn werk, dus ik heb wel wat brandstof nodig. Ik eet wat ik lekker vind en waar ik trek in heb. Als ik merk dat mijn broeken te strak gaan zitten, doe ik het een paar dagen wat rustiger aan en dan lost dat zich vanzelf weer op."
„Jij bent een vrouw naar mijn hart!" riep Ray uitbundig uit. Hij trok zich niets aan van de blikken van andere bezoekers in het restaurant.
Elvira grijnsde jongensachtig om zijn spontane uitroep. Hoewel ze zelf nogal gesloten was en niet graag de aandacht op zich vestigde, had ze bewondering voor mensen die dat wel durfden en die zich niets aantrokken van wat anderen dachten. Ray had iets dat haar enorm aantrok, iets dat ze al die tijd niet aan zichzelf toe had durven geven, maar nu kon ze het niet langer ontkennen. Geen moment voelde ze zich opgelaten in zijn gezelschap, ze wist dat ze bij hem volledig zichzelf kon zijn. Hij accepteerde haar zoals ze was en dat gaf een heerlijk, veilig gevoel van rust.
Omdat ze zo lang na hadden zitten tafelen, was het te laat geworden voor de bioscoop en Elvira had geen zin om in een rokerige kroeg te zitten. Daar hield ze nu eenmaal niet van.
„Zullen we naar mijn kamer gaan?" stelde ze voor. „Dan drinken

we daar nog wat." Zodra ze het gezegd had, kon ze echter het puntje van haar tong er wel afbijten. Ze had geen enkele bijbedoeling gehad met haar vraag, maar ze vreesde dat Ray dat wel zou denken. Wat voor indruk moest hij nu wel niet van haar hebben? „Alleen wat drinken, hoor. Niet eh... Geen... Ik wil niet..." stotterde ze in een poging hem duidelijk te maken wat ze bedoelde.

„Echt niet?" plaagde Ray haar bewust. Hij genoot van haar duidelijke verlegenheid en de vuurrode blos op haar wangen. „Weet wat je zegt, hè? Ik ben gymleraar, ik moet het hebben van mijn lichamelijke kwaliteiten."

„Daarom juist. Jij hebt je energie morgen veel te hard nodig om je nu in te spannen," antwoordde Elvira, ondanks haar verlegenheid, gevat.

Lachend hielp hij haar in haar jas en met zijn arm om haar heen geslagen liepen ze naar zijn auto. Hoewel ze zich allebei volkomen op hun gemak voelden in elkaars gezelschap, hing er toch een bepaalde spanning tussen hen. Een prettige spanning. Bij de auto aangekomen hield Ray galant het portier voor Elvira open, maar voor ze in kon stappen nam hij ineens haar gezicht in zijn handen. Teder, maar tegelijk stevig, drukte hij zijn lippen vol op de hare.

„Dat heb ik al wekenlang willen doen," zei hij ernstig.

Even verstarde Elvira, maar ze wist instinctief dat ze veilig was bij deze man. Ze hoefde zich niet in te houden uit angst dat hij verder ging dan zij wilde. Hij respecteerde haar. Na enige aarzeling sloeg ze dan ook haar armen om zijn hals en kuste hem terug. Ray was ontroerd door dit blijk van vertrouwen. Hij had heel goed gemerkt dat Elvira weinig ervaring had op het gebied van de liefde en dat ze zichzelf niet snel gaf. Des te waardevoller was dit gebaar.

„Ik ben verschrikkelijk verliefd op je," zei hij gesmoord. „Je hebt me de gelukkigste man op aarde gemaakt door eindelijk op mijn uitnodiging in te gaan."

Lang bleven ze zo staan, totaal verdiept in elkaar, tot Ray haar met tegenzin losliet. „Laten we maar gaan, anders staan we hier morgenochtend nog. Kom liefste, ik breng je thuis."

In een harmonieus stilzwijgen reden ze door de donkere stad. Elvira legde in een voor haar doen heel spontaan gebaar haar hand op Ray's knie en iedere keer als ze stilstonden voor een stoplicht legde hij zijn hand even op de hare. Dromerig staarde Elvira naar buiten, maar amper bevattend wat haar zo plotseling overkwam. Hoe was het mogelijk dat ze dit grote geluk zomaar ineens in haar schoot geworpen kreeg? Zij die er vast van overtuigd was dat ze nooit een man zou kunnen vertrouwen na wat haar vader haar aangedaan had? Het was Ray gelukt om met zijn gevoel voor humor, zijn uitbundigheid, zijn openheid en zijn eerlijkheid door dat pantser heen te breken en daar was ze hem dankbaar voor. Het gevoel dat nu door haar lichaam heen stroomde kende ze niet, maar had ze niet willen missen. Het was zo heerlijk en intens. Dit was dus geluk, dacht ze verwonderd. Puur geluk.
Nog steeds zwijgend liepen ze achter elkaar de drie trappen naar haar kamer op. Hoewel ze zich volkomen veilig voelde bij Ray, vroeg Elvira zich toch zenuwachtig af wat er ging gebeuren. Hij zou niets doen dat ze niet wilde, maar dat was het hem nu juist. Ze wist niet wat ze wilde of waar ze naar verlangde. Als ze heel eerlijk was, moest ze toegeven dat ze het niet eens zo erg zou vinden als hij haar nu zou overrompelen, hoewel ze hem er later waarschijnlijk om zou haten.
Tot haar schrik merkte ze dat het slot van haar zolder er niet op zat en behoedzaam opende ze de deur.
„Hè, hè, waar bleef je nou?" hoorde ze meteen de stem van Alexandra. „Ik dacht dat jij nooit wegging 's avonds."
„Alexandra," zei Elvira verward, alsof ze zich maar met moeite kon herinneren wie dit was.
„Ja, Alexandra. Je zus, weet je nog?" zei Alexandra, die dit haarfijn aanvoelde. Nieuwsgierig bekeek ze de man die achter Elvira aan de kamer inkwam. „O jee, geen wonder dat je schrok van me. Kom ik heel erg ongelegen?" vroeg ze terwijl ze hem een hand gaf en zich voorstelde.
„We waren niet van plan om iets te doen waar we geen publiek bij kunnen gebruiken," verzekerde Ray haar.
„O nee? Saai," zei Alexandra met een knipoog in zijn richting.

„Ik zou het wel weten als ik Elvira was."
„Hou op," verzocht Elvira haar. Die hinderlijke blos kwam alweer opzetten en ze had geen behoefte aan Alexandra's commentaar. Ze wist hoe tactloos haar zus kon zijn. „Wat kom je eigenlijk doen?"
„Dat klinkt niet hartelijk," zei Alexandra met een pruillip. Met een theatraal gebaar wees ze naar twee grote koffers. „Ik zoek onderdak."
„Heeft Arjen je eruit gegooid?" vroeg Elvira verschrikt.
„Nou, laten we zeggen dat ik er vandoor ben gegaan. Het ging niet meer tussen ons. We hadden voortdurend ruzie om niets en vanavond kon ik er niet langer tegen. Ik herinnerde me jouw aanbod dat ik altijd hier mag logeren als het nodig was, vandaar. Of ben je van gedachten veranderd?"
„Nee, natuurlijk niet," zei Elvira haastig. „Je bent altijd welkom, dat weet je." Ondertussen vroeg ze zich wel af hoe Alexandra aan dat slechte gevoel voor timing kwam. Als er ooit een moment geweest was dat ze geen behoefte had aan haar altijd sterk aanwezige zus, was het nu wel. Ze kon haar echter onmogelijk in de steek laten.
„Fijn, dank je. Het is wel jammer dat je hele woning maar uit één kamer bestaat, ik kan me niet even terugtrekken om jullie wat privacy te gunnen. Of zal ik beneden op het toilet gaan zitten?" stelde Alexandra dwaas voor.
„Bedankt voor dit loffelijke aanbod, maar doe voor mij geen moeite," grijnsde Ray. Hij hield wel van dit ongedwongen gedoe, dat was stukken beter dan plichtmatige beleefdheid. „Ik laat jullie alleen. Ik denk dat jullie heel wat te bepraten hebben waar een vreemde niets mee te maken heeft. Elvira, ik bel je morgen."
„Ik loop met je mee naar de deur," zei Elvira haastig. Hoewel dat drie trappen af en daarna natuurlijk weer drie trappen op betekende, wilde ze hem niet zo laten gaan. Alexandra's onverwachte aanwezigheid was al zo'n domper, maar als hij nu zonder behoorlijk afscheid wegwandelde, was het net of hij een willekeurige kennis was en de avond niets voor haar betekend had.

„Ben je boos?” vroeg ze beneden kleintjes aan hem.
„Boos?” Eerlijk verwonderd keek Ray haar aan. „Natuurlijk niet. Waarom in vredesnaam? Ik had graag een uurtje met je alleen willen zijn, dus ik vind het jammer, dat wel. Maar wij hebben nog alle tijd van de wereld, schat. Ik kan niet in de toekomst kijken, maar ik heb toch het idee dat je nog jaren aan me vast zit.”
„Hm, dat lijkt me een heerlijk vooruitzicht,” zei Elvira met een klein lachje.
Diep in gedachten bleef Ray na het afscheid nog even in zijn auto zitten. Hij vond het vreemd dat Alexandra, die duidelijk jonger was dan Elvira, al zo vroeg samenwoonde met een man. Er was iets aan de hand binnen het gezin van die twee, peinsde hij. Er was een reden voor hun vroege vertrek uit het ouderlijk huis, een geheim dat de zussen deelden waardoor ze zich verbonden voelden met elkaar. Behalve dat hij stapelgek was op Elvira en graag wilde weten wat haar bezighield, was hij ook doodgewoon menselijk nieuwsgierig naar de achtergronden.
Maar hij meende wat hij net tegen Elvira had gezegd: ze hadden nog jaren de tijd samen. Voor zichzelf wist hij heel zeker dat hij haar nooit meer kwijt wilde en hij vertrouwde erop dat ze hem ooit haar verhaal zou doen.

HOOFDSTUK 9

„Leuke vent," zei Alexandra waarderend toen Elvira terug was op de zolder. „Je was geloof ik niet zo blij met mijn komst, hè?"
„Een bezoekje van jou is me wel eens beter uitgekomen, ja," gaf Elvira toe. „Maar dat geeft niets. Ik verwacht heus niet van je dat je eerst even belt om te vragen of het gelegen komt voordat je er vandoor gaat." Ze grinnikte, werd daarna weer serieus. „Hebben jullie vanavond erge ruzie gehad?"
Alexandra schokschouderde. „Ach, niet erger dan anders," antwoordde ze wrang. „Ons samenwonenproject is uitgelopen op één lange ruzie. Constant waren er ergernissen en vlogen de verwijten over en weer, naar beide kanten. Ik had gedacht dat ik vrij zou zijn als ik eenmaal van huis weg was, maar bij Arjen was ik nog meer beknot dan bij ma en pa thuis."
„Je bent ook nog veel te jong voor zo'n serieuze relatie," berispte Elvira haar.
„Ja hoor mam, je hebt gelijk." Alexandra, die zich al helemaal thuis voelde op Elvira's kamer, schonk voor hen allebei een groot glas cola in. „Doe jij het dan maar beter met die Ray van je," voegde ze even later aan haar woorden toe. „Ken je hem allang?"
„Een paar weken, dit was ons eerste afspraakje. Ik heb hem ontmoet in het bejaardentehuis, waar hij regelmatig op bezoek komt voor zijn oma."
„O, dit is die man waar je het laatst over had," herinnerde Alexandra zich. „Dus je hebt eindelijk toegehapt? Goed van je, meid. Weet hij het van eh...?" Ze sprak niet verder, maar Elvira wist precies wat ze bedoelde.
„Nee, nog niet."
„Ben je van plan het hem te vertellen dan?"
„Natuurlijk, als onze vriendschap zich verdiept wel."
„Waarom?"
„Waarom niet?" antwoordde Elvira daarop met een tegenvraag. „In een goede relatie weet je alles van elkaar, zeker dit soort ingrijpende gebeurtenissen. Ik kan toch moeilijk mijn leven

lang smoesjes op gaan hangen waarom ik geen contact met mijn vader wil."
„Zeg gewoon dat je niet met hem overweg kunt," adviseerde Alexandra.
Elvira keek haar onderzoekend aan. „Is dat wat jij tegen Arjen hebt gezegd? Dan vind ik het niet vreemd dat jullie relatie op niets is uitgelopen. Als je dit niet met elkaar kunt bespreken, is er iets wezenlijks mis."
„Ben je gek, dat heeft er niets mee te maken," weerde Alexandra af. „We passen gewoon niet bij elkaar, punt uit. Arjen is een droogstoppel die verwachtte dat ik het hele huishouden over zou nemen en hem als trouwe slavin zou verwennen. Ook in bed."
„Dat is niet zoals ik hem heb leren kennen."
„Jij kent hem op een andere manier dan ik."
Elvira zweeg, want hier kon ze niets tegenin brengen. Toch kreeg ze het gevoel dat Alexandra haar diepste gevoelens verborg, zoals ze dat dus blijkbaar ook tegenover Arjen had gedaan. Ze sprak er zo luchtig over, dat was niet normaal. Met alles wat ze meegemaakt hadden, was het niet vreemd als Alexandra problemen had op seksueel vlak. Als ze dat dan niet met Arjen besprak, was een verwijdering onontkoombaar. Elvira nam zich ter plekke voor om het tussen Ray en haar niet zo te laten verlopen en voor die tijd met hem te praten.
Ze trok het onderschuifbed onder haar eigen bed vandaan en begon het op te maken terwijl Alexandra honderduit praatte over het nieuwe huis van hun moeder. Ze kwam nog regelmatig bij Amanda en paste ook op Timo en Bennie als dat zo uitkwam. Elvira luisterde zwijgend naar die verhalen, onwillekeurig toch nieuwsgierig naar hoe het hen verging. Ze miste haar moeder en broertjes meer dan ze zichzelf toe wilde geven. Ze had al een aantal keren op het punt gestaan om Amanda te bellen, maar steeds op het laatste moment de hoorn weer neergelegd omdat ze toch niet wist wat ze moest zeggen. Ze verweet het haar moeder dat ze nooit iets had gemerkt van wat zich thuis afspeelde, aan de andere kant waardeerde ze het dat ze alsnog zo duidelijk hun kant had gekozen toen het uitkwam.

Elvira verlangde naar contact met haar moeder, maar was er tegelijkertijd bang voor. Een ontmoeting met haar moeder betekende een confrontatie met het verleden, wat ze juist probeerde van zich af te zetten.
Een kwartier later lagen de beide zussen in bed. Als Elvira haar hand uitstak, voelde ze de aanwezigheid van Alexandra en dat was toch best wel prettig, moest ze zichzelf toegeven. Ze had het prima naar haar zin op haar eigen kamer, maar de eenzaamheid brak haar wel eens op. Het was een heel verschil met hun drukke gezin thuis. Maar thuis was het ook niet alles...
Ze rilde onwillekeurig bij de herinnering aan die avonden dat ze alleen thuis geweest waren met hun vader en hij hen dwong tot handelingen die ze niet wilden, maar die ze ook niet durfden te weigeren, simpelweg omdat hij hun vader was. Het gebeurde vaak dat ze in de stilte van de nacht alles weer haarscherp op haar netvlies zag.
„Heb je het koud?" fluisterde Alexandra.
„Nee. Dat rillen is een afweerreactie van mijn lichaam als ik aan pa denk." Elvira probeerde het luchtig te zeggen, alsof het een grapje betrof, maar daar trapte Alexandra niet in.
„Dat ken ik," beaamde ze. „Ik kan het heel goed relativeren en van me afzetten, maar 's avonds, vlak voordat ik in slaap val, komt het vaak levensgroot terug."
„Dus jij hebt dat ook?" vroeg Elvira verrast. „Thuis had ik daar niet zo'n last van, maar sinds ik op mezelf woon, overkomt het me steeds vaker."
„Mij ook. Ik had het vooral als Arjen toenaderingspogingen ondernam. Als hij me streelde, was het net of pa naast me lag," bekende Alexandra.
„En je beweert nog steeds dat jullie problemen daar niets mee te maken hebben? Kom op, Alex, ik dacht dat je wijzer was. Dit is toch het bewijs?"
„Nee, dit betekent dat Arjen niet de juiste man voor mij is," sprak Alexandra echter beslist. „Ik heb me gewoon in hem vergist, dat kan de beste gebeuren."
Even bleef het stil tussen de zussen, maar het veilige donker noodde toch uit tot verdere gesprekken.

„Ik heb er over gedacht om een officiële aanklacht tegen pa in te dienen," zei Elvira aarzelend.
Zoals ze al verwacht had, schoot Alexandra overeind. Ze trok aan de schakelaar van de lamp, zodat de kamer ineens fel verlicht werd. „Dat meen je niet!"
„Jawel. En waarom niet? Hij is hartstikke fout geweest tenslotte. Hij had het recht niet om ons dit aan te doen!" reageerde Elvira fel, het lampje weer uitdoend. Ze praatte makkelijker in het donker, als ze niet zag dat Alexandra haar met grote, verschrikte ogen aankeek. Ze wist hoe haar zus hier over dacht.
„Dat kun je niet maken, Elvira. Als je dat doet, komt het nooit meer goed tussen ma en pa."
„Is dat wat je zou willen dan?"
„Ze zijn nu allebei ongelukkig, net als Timo en Bennie, omdat wij onze mond niet gehouden hebben. Het is onze schuld dat ze uit elkaar zijn. Ma heeft er nooit iets van geweten en dat had zo moeten blijven, dan hadden ze nu nog gewoon in één huis gewoond met zijn allen. Nu moet ma iedere dag werken, de kinderen zijn ongelukkig met deze situatie en financieel heeft ze het hartstikke slecht. Omdat wij gepraat hebben, zijn we er nu alle zes een stuk slechter aan toe dan daarvoor."
„Dat komt niet door ons, dat heeft pa op zijn geweten," zei Elvira hard. „Wij zijn de slachtoffers, niet de daders, dat moet je niet uit het oog verliezen. Het is al erg genoeg dat in onze maatschappij de slachtoffers aan de kant geschoven worden en dat de daders alle hulp krijgen, ga daar in het klein nu ook niet mee beginnen. Er is maar één schuldige aan dit alles en dat is pa."
„Het is gebeurd en dat is nu eenmaal niet meer uit te vlakken, maar dat het nu in de openbaarheid is gekomen, heeft alles er alleen nog maar erger op gemaakt. Niet alleen voor ons tweeën, maar ook voor de rest van het gezin. De hardst gestrafte in dit geval is ma, niet pa. En de twee kleintjes, niet te vergeten."
„Ik weiger me daar verantwoordelijk voor te voelen," hield Elvira koppig vol.
„Dat vind ik wel heel makkelijk gezegd. Wat is er nu helemaal voorgevallen? Bovendien is het jaren geleden, misschien over-

drijven we het wel heel erg in onze gedachten en hebben we het veel groter gemaakt dan het werkelijk was," peinsde Alexandra.
„Je bent gek." Hoewel Alexandra dat in het donker niet kon zien, tikte Elvira met een veelbetekenend gebaar op haar voorhoofd. „Daarnet gaf je zelf toe dat je er nog steeds problemen mee hebt, vooral in je relatie."
„Dat lag aan Arjen, niet aan pa."
Elvira zuchtte. Hier was niet tegenin te praten, besefte ze. Zolang Alexandra zelf niet inzag dat haar problemen wel degelijk veroorzaakt werden door het verleden, kon ze zeggen wat ze wilde, maar had het toch geen invloed. Misschien was Alexandra ook nog wel te jong om hier goed mee overweg te kunnen, ondanks haar stoere houding. Het feit dat ze niets tegen Arjen had gezegd, bewees wel dat ze het nog lang niet verwerkt had, al dacht ze zelf van wel.
Lange tijd bleef het stil en Elvira dacht al dat Alexandra in slaap gevallen was toen haar stem ineens weer opklonk.
„Ga je het doen?" vroeg ze kleintjes.
„Wat?"
„Een aanklacht indienen."
„Nee," antwoordde Elvira. „Maar de reden dat ik het niet doe, is vooral om mezelf te ontzien, niet om pa te beschermen. Ik vind nog steeds dat hij gestraft moet worden voor zijn daden, maar via de officiële weg is dat bijna niet mogelijk. Op internet heb ik hier heel veel over gelezen, daardoor weet ik dat incest meestal ongestraft blijft omdat het heel moeilijk te bewijzen valt. In ons geval is dat zeker zo, omdat het al jaren geleden is en hij ons nooit echt verkracht heeft. Bovendien zijn al die verhoringen en een eventuele rechtszaak heel erg vernederend en belastend voor de slachtoffers, voor ons dus." Dat laatste zei ze met nadruk, maar Alexandra reageerde daar niet op.
„Heb je het daarom die bewuste avond op tafel gegooid?" vroeg ze. „Om hem te straffen? Je moet geweten hebben dat ma dit niet zou accepteren van hem."
„Misschien in mijn onderbewuste wel," antwoordde Elvira na enig nadenken eerlijk. „Hij zat er zo zelfvoldaan bij en durfde

ons totaal niet tegen te spreken omdat hij bang was voor wat we zouden zeggen. Zo laf."
„Maar nu heb je ma, Timo en Bennie ook gestraft."
„Alexandra, nogmaals, ik voel me niet verantwoordelijk. Ik was slechts de boodschapper van het slechte nieuws, niet de veroorzaker."
„Ik wou dat ik er ook zo over kon denken, maar ik blijf me schuldig voelen. Iedere keer als ik bij ma binnenkom in die kleine, oude huurwoning, vliegt het door mijn hoofd dat het niet nodig geweest was, als wij maar niets hadden gezegd," zei Alexandra moeilijk.
Elvira strekte haar arm en zocht in het donker de hand van Alexandra, die ze stevig drukte. „Je zegt steeds 'wij', maar ik was degene die het vertelde terwijl jij dat niet wilde. Er is voor jou dus geen enkele reden om je schuldig te voelen."
„Wij zijn een team," reageerde Alexandra. „Zo is het al jaren en zo zal het ook wel blijven. Ik weet gewoon dat wij altijd op elkaar terug kunnen vallen, daarom dacht ik ook meteen aan jou als vluchtadres toen ik vanavond mijn koffers pakte."
„En daarmee mijn plannen torpedeerde," vulde Elvira op droge toon aan.
Dat was het startsein voor een lachbui, die niet meer te stoppen was en die ontaardde in een aanval van de slappe lach.
„Hou op," kreunde Alexandra op een gegeven moment. „Ik heb gewoon pijn in mijn buik van het lachen."
„Dat zijn de zenuwen," wist Elvira.
„O, ik dacht dat ze dit gevoel voor humor noemden," grinnikte Alexandra, waarna ze weer opnieuw begonnen.
Het was al bijna ochtend voor de zussen in slaap vielen. Hand in hand, zoals vroeger zo vaak voorgekomen was. Steun zoekend bij elkaar.

De volgende ochtend werden ze laat wakker en moest Elvira zich haasten om op tijd op haar werk te komen. Het lukte haar net niet en de rest van de ochtend bleef ze achter lopen met alles. Een kwartier later dan anders bracht ze de koffie binnen bij mevrouw Evers, de oma van Ray.

„Ik vroeg me al af waar je bleef," begroette de vierenzeventig-jarige vrouw haar.
„Ik heb me verslapen," bekende Elvira.
Mevrouw Evers keek haar ondeugend lachend aan. „Heeft die kleinzoon van mij je zo lang wakker gehouden vannacht? Ja, kijk maar niet zo verbaasd, ik weet meer dan jij denkt. Ray heeft al heel lang een oogje op je en hij zat steeds behoorlijk in de put als jij een uitnodiging van hem afwees. Gisteren kwam hij me stralend vertellen dat het hem eindelijk gelukt was."
„We zijn samen uit geweest, ja," gaf Elvira toe. Ze voelde haar wangen alweer rood worden bij de duidelijke nieuwsgierigheid van deze vrouw.
„En? Was het leuk?"
Elvira schoot onwillekeurig in de lach. „Héél leuk," zei ze. „U bent geloof ik wel iemand die graag het naadje van de kous wilt weten, hè?"
„Ik heb niets anders te doen hier dan mensen uithoren en roddelen," zei mevrouw Evers onbeschaamd, met een twinkeling in haar helderblauwe ogen. „Ray is een fijne jongen. Hij heeft het als kind niet makkelijk gehad, weet je. Toch merk je daar nu niets meer van. Vaak hoor je dat kinderen met een verknipte jeugd later crimineel worden, maar Ray is een schat. Hij heeft van zijn ouders juist precies geleerd hoe het niet moet en wil het zelf beter doen, zegt hij altijd."
„U hoeft uw kleinzoon echt niet bij me aan te prijzen, hoor," lachte Elvira. Ze knikte de oudere vrouw hartelijk toe. „En het feit dat hij zo goed terechtgekomen is, kunt u op uw conto bijschrijven. Hij heeft me verteld hoe fijn hij het altijd bij u gehad heeft en dat hij zoveel aan u te danken heeft."
Mevrouw Evers bloosde van plezier bij dit onverwachte complimentje. „Ach, ik kon niet meer doen dan er voor hem zijn," zei ze bescheiden. „Ga nu maar gauw verder aan je werk, kind. Anders loop je de hele dag te haasten."
„Ja, ja, ik heb u door. Wel uw kleinzoon de hoogte insteken, maar als mensen iets goeds van u zeggen moeten ze ophoepelen," plaagde Elvira haar. Ze liep inderdaad naar de deur, want mevrouw Evers had wel gelijk met haar opmerking. Ze wás

laat. Voor ze de deur van het kamertje echter achter zich dicht kon trekken, riep mevrouw Evers haar nog een keer terug. „Denk erom dat je mijn kleinzoon geen verdriet doet," zei ze half lachend, half dreigend. Hoewel het bedoeld was als grapje, klonk er een serieuze ondertoon in haar stem door. „Hij heeft wel eens wat geluk verdiend na de ellende uit zijn jeugd."
„Ik zal eraan denken," beloofde Elvira haar geamuseerd voor ze doorliep naar de volgende bewoner, die op zijn koffie wachtte.
„En jij volgens mij ook," mompelde mevrouw Evers, onhoorbaar voor Elvira. Bedachtzaam staarde ze uit het raam, maar ze zag niets van de bedrijvigheid die er buiten op straat heerste. Ze was een scherp opmerkster, die, zoals ze zelf al aangegeven had, weinig anders meer te doen had dan mensen observeren. Er school een geheim achter Elvira's opgewekte houding. Dit meisje ging niet zo zorgeloos door het leven als ze tegenover de bewoners van het bejaardentehuis deed voorkomen. Ze hoopte alleen dat datgene wat Elvira zo zorgvuldig verborgen probeerde te houden, geen belemmering zou vormen in haar relatie met Ray. Ze kende haar kleinzoon. Hij ging lachend en grapjes makend door het leven, maar onder dat oppervlakkige laagje school een serieus persoon. Op het gebied van de liefde was hij geen groentje meer, maar hoewel de meisjes altijd achter hem aan gelopen hadden, had hij daar nooit van geprofiteerd. Het was bij hem alles of niets en mevrouw Evers kende Ray goed genoeg om te weten dat Elvira alles voor hem was. Ze kon alleen maar hopen dat het andersom ook zo was. Het was de grootste wens van mevrouw Evers om Ray, haar enige kleinkind en oogappeltje, gelukkig te zien voor ze zelf voorgoed haar ogen zou sluiten. Ze was realistisch genoeg om te beseffen dat dat geen jaren meer zou duren, daarvoor takelde haar lichaam te snel af.
Onwetend van deze gedachten rende Elvira door de dag heen. Met alle bezuinigingen van de laatste jaren was er maar net genoeg personeel om de nodige werkzaamheden binnen het bejaardentehuis klaar te krijgen. Alles verliep volgens een strak schema en een kwartier te laat beginnen, zoals Elvira vandaag

overkwam, was dan ook bijna niet in te halen, vooral niet omdat één van haar collega's zich ziek had gemeld en iedereen dus sowieso al een stapje harder moest lopen. Het was zo druk dat ze geen tijd had om aan Ray of aan hun uitstapje van de vorige avond te denken, al was ze zich er voortdurend van bewust dat er iets veranderd was in haar leven. Iets fijns, waardoor ze in staat was juichend de dag door te komen. Er was niets dat haar stemming kon verpesten. Zelfs de gedachte aan haar vader, die, ondanks alle inspanningen om hem te vergeten, voortdurend in haar achterhoofd aanwezig was, was niet sterk genoeg om dat heerlijke gevoel te verdringen. Dat was zo veelomvattend dat al het andere er bij in het niet viel. De problemen en nachtmerries waar ze mee worstelde, het verbroken contact met haar moeder en broertjes, Alexandra die bij haar ingetrokken was, haar werk, alles was naar het tweede plan geschoven.
Van drie tot vijf uur stond Elvira ingeroosterd om de receptie te bemannen en dankbaar nam ze plaats achter de balie toen het zo ver was. Eindelijk even rust. Haar voeten brandden van het rennen dat ze die dag gedaan had en haar hoofd liep om. Ze zat nog maar net een paar minuten toen de telefoon begon te rinkelen. Met haar professionele telefoonstem, zoals ze het zelf altijd noemde, nam ze op.
„Hoi, met mij," klonk een warme stem in haar oor.
„Ray!" Ze hoorde zelf hoe haar stem blij uitschoot en draaide snel haar stoel een kwartslag opzij om de onderzoekende blik van een langslopende collega te ontlopen. „Wat toevallig dat je net belt, ik zit sinds een paar minuten achter de balie."
„Niks geen toeval." Hij grinnikte. „Ik had van oma gehoord dat je van drie tot vijf receptie draait, je weet dat ze van alles in het tehuis op de hoogte is alsof ze zelf de hele zaak runt. Ik heb haar in het begin van de middag gebeld."
„Op haar onafscheidelijke mobiel zeker," lachte Elvira. Ray had zijn grootmoeder een mobiele telefoon gegeven omdat hij het vervelend vond om steeds naar de receptie te moeten bellen als hij haar wilde spreken. Mevrouw Evers had geen flauw benul van de werking van het apparaat, maar koesterde het alsof het

een dure diamant betrof, omdat het haar schakel met haar kleinzoon was. Ze wist welk knopje ze in moest drukken als het ding begon te rinkelen en dat was voor haar genoeg. Als Ray op bezoek kwam, legde hij de telefoon trouw voor haar aan de oplader, zodat hij nooit leeg raakte.
„Precies." Ook hij schoot in de lach. Oma en haar mobieltje waren een begrip in het tehuis.
„Wanneer zie ik je weer?" vroeg hij toen.
Elvira's hart begon zwaar te bonzen bij deze directe vraag. Ze had gehoopt dat hij vandaag zou bellen, maar eigenlijk had ze er rekening mee gehouden dat het een paar dagen zou duren voor hij weer contact opnam. Mannen beloofden zo makkelijk dat ze zouden bellen, maar vaak bleef het bij een belofte en kwam er geen enkel vervolg, had ze zichzelf voorgehouden.
„Ik weet niet. Zeg het maar," antwoordde ze onzeker.
„Wat dacht je van vanavond? Ik heb je gemist vandaag."
„Hou op," mompelde Elvira in de hoorn. „Je maakt me aan het blozen. Straks heb ik hordes collega's om me heen die komen vragen wat er aan de hand is."
„Nou en? Wat mij betreft mag de hele wereld weten dat ik verliefd op je ben." Ze hoorde de plagende ondertoon in zijn stem, maar wist tegelijkertijd dat dit geen luchtig grapje was. Hij meende het wel degelijk en dat stemde haar ongekend gelukkig. Elvira had nooit verwacht dat ze nog een man kon vertrouwen na wat haar vader haar had aangedaan, maar Ray kwam, zag en overwon. Wat hij in haar losmaakte, was met geen pen te beschrijven. Toch durfde ze nog niet goed op zijn woorden in te gaan, bang om zichzelf bloot te geven.
„Alexandra woont tijdelijk bij mij, ik vind het vervelend om haar direct de hele avond alleen te laten," zei ze daarom alleen.
„Dan gaan we alleen iets drinken zodra je vrij bent," stelde Ray voor. „Dan ben je niet zo laat thuis en heb ik je toch even gezien."
Elvira stemde toe en legde even later met een gelukzalig gevoel de hoorn terug op het toestel. Dit was werkelijk fantastisch! Niet alleen liet hij ondubbelzinnig merken dat hij gek op haar was en haar graag wilde zien, hij respecteerde ook haar

mening. Menig ander zou aangedrongen hebben met de woorden dat haar zus best op zichzelf kon passen, maar Ray maakte er totaal geen probleem van. Hij zocht gewoon een andere oplossing, zonder te pushen en zonder poging haar een schuldgevoel aan te praten omdat zijn plannetje niet doorging.
Elvira wist zelf niet hoe blij en gelukkig ze eruit zag op dat moment. Haar ogen glansden en haar wangen hadden een gezonde blos, het leek wel of ze licht uitstraalde.
„Jij ziet eruit alsof je net de loterij gewonnen hebt," merkte Tara, één van haar collega's, dan ook op.
„Veel beter dan dat," antwoordde Elvira daarop. Met overtuiging sprak ze de woorden die ze net niet had durven zeggen en waarvan ze nooit had verwacht ze ooit uit haar mond te kunnen krijgen: „Ik ben hartstikke verliefd!"

HOOFDSTUK 10

„Red je het allemaal wel een beetje?" vroeg Alexandra bezorgd aan haar moeder.
„Ja hoor, het went al aardig," loog Amanda. Ze stonden samen in de keuken het avondeten te bereiden. Alexandra kneedde het gehakt en Amanda klopte verwoed in een schaal in een poging een luchtige aardbeienmousse als toetje te maken. „Het werken in het warenhuis heb ik altijd leuk gevonden en nu ik inzetbaar ben op verschillende afdelingen is het nog veel afwisselender geworden."
„Ik geloof er niks van," beweerde Alexandra.
Amanda lachte even. „Moeders liegen niet," zei ze stellig. Ze legde de garde in de gootsteen en goot het mengsel in vier glazen schaaltjes. „Leuke schaaltjes, hè?" veranderde ze expres van onderwerp. „Uit de kringloopwinkel, zes stuks voor een euro."
„Je bent een zuinige huisvrouw," prees Alexandra.
„Ik grijp terug naar het verleden. Toen je vader en ik pas getrouwd waren hadden we het ook niet breed," zei Amanda op droge toon. Ze had absoluut niet de bedoeling om te klagen, toch schoten bij Alexandra de tranen in de ogen.
„Het is niet eerlijk!" barstte ze ineens uit. „Waarom ga je niet gewoon terug naar pa? Jullie houden nog steeds van elkaar, dat weet ik. Dat kan toch niet zomaar over zijn door iets dat jaren geleden eens voorgevallen is? Nu moet je de hele dag sloven en in je eentje voor de kinderen zorgen terwijl je amper genoeg verdient om rond te komen. Ik vind het niet erg als je naar hem teruggaat mam."
„Maar ik wel," merkte Amanda kalm op. Inwendig beefde ze als een rietje bij deze uitbarsting, omdat Alexandra hardop zei wat ze zelf regelmatig dacht, maar dat wilde ze niet laten merken. Rudi had voor haar afgedaan, hoezeer ze af en toe ook verlangde naar de jaren die achter haar lagen. Die zalige jaren van onwetendheid... Als Elvira in haar kwaadheid de waarheid niet op tafel had gegooid, had geen haar op haar hoofd er ooit aan gedacht om Rudi te verlaten, maar nu de zaken zo lagen moest

ze er niet aan denken om weer met hem in één huis te wonen. Ze hield echter inderdaad nog steeds van hem, zoals Alexandra al zei. Ze hield van de Rudi die ze jarenlang gekend had en waar ze haar leven mee had gedeeld, ze walgde echter van de Rudi die zijn dochters betast had. Zo duidelijk mogelijk probeerde ze die gevoelens onder woorden te brengen tegen haar dochter.
„Ik zou het niet meer kunnen verdragen om door hem aangeraakt te worden, wetende dat hij hetzelfde met jullie heeft gedaan," eindigde ze.
„Je had het nooit te weten mogen komen," snikte Alexandra na. „Dan had je het nu niet zo zwaar gehad."
„Ik ben blij dat ik het weet," beweerde Amanda, al was blij nou niet bepaald het woord dat bij haar gemoedsrust paste. „Ik neem jou en Elvira absoluut niets kwalijk, wees daar in ieder geval nooit bang voor."
„Maar ik voel me schuldig voor deze hele situatie."
„Welkom bij de club," zei Amanda ironisch. „Ik voel me namelijk schuldig omdat ik nooit iets heb gemerkt en jullie hier niet tegen heb kunnen beschermen."
„Het was jouw schuld niet."
„Evenmin die van jullie."
Amanda legde de gehaktballen in de sissende boter en zette de aardappels op het vuur. Ze was blij dat ze bezig was tijdens dit emotionele gesprek, want haar hoofd tolde en haar benen voelden aan alsof ze er ieder moment door konden zakken. De automatische handelingen die ze verrichtte gaven net genoeg afleiding. Ondertussen was ze blij dat Timo en Bennie in de kamer tv zaten te kijken en hier geen getuige van waren. De jongens gingen vaak en graag naar hun vader en het leek Amanda beter om het voor hen zo te houden, al lette ze scherp op iedere gedragsverandering. Het zou haar geen tweede keer gebeuren dat ze signalen miste van iets dat zo belangrijk was. Gelukkig waren haar jongste kinderen jongens en geen meisjes, dat maakte al een wezenlijk verschil, maar ze was er geen seconde echt gerust op.
„Hoe is het met Elvira?" vroeg ze toen de stilte tussen hen voort bleef duren. Ze wilde niet constant met Alexandra over Rudi

praten, hoopte echter wel dat ze over haar woorden na zou denken.
Alexandra veerde op. Zoals gewoonlijk sloeg haar stemming van het ene moment op het andere om. „Ze heeft een vriendje," vertelde ze enthousiast. „Een man die ze in dat bejaardentehuis heeft ontmoet."
„Hij is jonger dan vijfenzestig, hoop ik?" grapte Amanda.
Alexandra grinnikte. „Vijfentwintig. Hij heet Ray Hoogduin, is gymleraar op een middelbare school, bezoekt zijn oma regelmatig en is stapelgek op Elvira. Het is dik aan tussen die twee. Ze gaan nu een paar weken met elkaar om en ik voel me altijd het vijfde wiel aan een wagen als ik bij ze in de buurt ben."
„Gebeurt dat vaak dan?" informeerde Amanda.
Alexandra beet op haar onderlip. Ze had haar moeder nog niet verteld dat het uit was tussen Arjen en haar en dat ze sindsdien bij Elvira woonde, maar ze begreep dat ze daar nu niet meer onderuit kwam.
„Ik woon tegenwoordig bij Elvira," bekende ze meteen maar. „Het is over en uit tussen Arjen en mij, dat samenwonen was toch niet zo'n succes."
Amanda schrok. Het besef dat ze totaal geen deel meer had aan het leven van haar dochters, trof haar als een steek door haar hart. Alexandra was verhuisd, Elvira was verliefd en zij, hun moeder, wist nergens van. Ze bedwong de neiging om een preek over veel te jong samenwonen tegen Alexandra af te steken. Daar zou ze nu meer kwaad dan goed mee doen, realiseerde ze zich.
De zaken waren in hun gezin behoorlijk uit de hand gelopen en één dochter was ze al kwijt door de omstandigheden. Als ze het contact met de andere dochter goed wilde houden, moest ze zich nu vooral niet als moeder opstellen, maar haar behandelen als een volwassene. Dus niet op haar kop geven, geen preken, niet zeggen dat ze dat al voorspeld had en vooral niet zeuren, dacht Amanda razendsnel. Alleen meelevend reageren en een helpende hand aanbieden.
„Vervelend voor je," zei ze daarom met moeite. „Je weet dat je hier altijd terechtkunt, hè? Het feit dat ik verhuisd ben, wil niet

zeggen dat je geen ouderlijk huis meer hebt. Je bent hier altijd welkom, ook om te wonen."
„Jij hebt het al druk genoeg," wimpelde Alexandra dat af. „Trouwens, je hebt geen ruimte voor nog een kind erbij. Zijn die aardappels bijna gaar? Dan zal ik de tafel dekken."
Terwijl zij heen en weer liep met borden en bestek, kostte het Amanda moeite om haar tranen binnen te houden. Verdorie. Snel veegde ze een ontsnappende traan weg voor Alexandra het kon zien. Tegenwoordig huilde ze om het minste geringste, ze werd gek van zichzelf. Als ze maar niet zo verschrikkelijk moe was, dan zou ze alles wat beter aankunnen. Juist door die moeheid dreigde alles boven haar hoofd te groeien. Het huis verslonsde, Timo en Bennie kregen te weinig aandacht en aan zichzelf kwam ze al helemaal niet toe. En nu dit weer. Als ooit duidelijk was dat hun gezin volledig uit elkaar was gevallen, was het nu wel, met die simpele mededelingen van Alexandra. Het bewees eens te meer dat zij als moeder gefaald had. Vooral Alexandra's nonchalante afwimpeling van haar voorstel deed pijn, al was ze tegelijkertijd blij dat ze er niet op inging, waar ze zich vervolgens weer schuldig over voelde.
Met uiterste krachtinspanning lukte het haar om niets van deze gevoelens te laten merken. Zo normaal mogelijk zette ze het eten op tafel, waarna ze zich excuseerde en snel het piepkleine badkamertje indook. Diep in- en uitademend probeerde ze zichzelf weer onder controle te krijgen. Het lukte, al had ze het gevoel of haar hoofd ieder moment kon barsten.
Tijdens de maaltijd was Amanda stil, maar Timo, Bennie en Alexandra zaten zo druk met elkaar te kletsen dat het niemand opviel. Alexandra werd door haar broertjes volledig op de hoogte gesteld van hun nieuwe leven. Ze waren dol op hun oudere zus, die altijd in was voor een spelletje of een stoeipartijtje en namen haar altijd helemaal in beslag als ze op bezoek kwam.
„En hoe gaat het op school?" informeerde Alexandra nadat ze op de hoogte was gebracht van de nieuwste ontwikkelingen in hun vriendenkring.
„Gaaf!" riep Bennie enthousiast. „Dat is zo leuk, Alex."

„O ja? Haal jij allemaal tienen dan?" vroeg ze plagend, want ze wist dat zijn prestaties niet evenredig waren aan zijn enthousiasme.
„Dat niet, maar het is wel leuk," antwoordde Bennie beslist. „Vooral na schooltijd."
Ze schoot in de lach vanwege de manier waarop hij dat zei, maar zag ondertussen wel dat Timo's gezicht betrok.
„Ik vind het daar niet leuk," gaf hij toe toen ze er iets van zei. „Ik ben na schooltijd liever thuis, in mijn eigen kamer. Daar kan ik lezen of knutselen of gewoon lekker muziek luisteren. Ik wil helemaal niet met die andere kinderen spelen, maar ik moet wel. Mama moet werken, dus we kunnen niet thuis zijn."
Zijn gezicht stond zorgelijk en ouwelijk bij die woorden. Hij berustte erin, maar het kostte moeite, begreep Alexandra. Ze wierp een vragende blik op haar moeder, die een moedeloos gebaar met haar handen maakte.
„Ik kom je af en toe wel gewoon om drie uur uit school halen, als mijn eigen rooster dat toestaat," beloofde Alexandra spontaan aan haar broertje. „Dan kun je gewoon hier thuis doen waar je zin in hebt en dan kan ik ondertussen voor mama strijken of zo. Goed?"
Timo's gezicht begon te stralen. „Tof," zei hij. „Wanneer?"
„Over een paar dagen. Maar nu gaan we opruimen en afwassen, jongens. Kom op, met zijn drieën is het zo gebeurd, dan kan mama even rustig zitten."
Hoewel de jongens hevig protesteerden tegen deze taakverdeling, nam Amanda dankbaar plaats op haar bank, waar ze eventjes haar ogen sloot. Als Alexandra het heft niet in handen had genomen, had ze alle troep zo laten staan, besefte ze. Ze miste gewoonweg de moed om nog iets te doen. Langzaam dommelde ze in. Ze merkte niet eens dat Alexandra haar broertjes waste en in bed legde en ze werd pas wakker toen ze later met koffie binnenkwam.
„Sorry, ik was even weggezakt," verontschuldigde ze zich. Ze ging overeind zitten en staarde naar de kopjes alsof ze niet wist wat ze ermee moest doen. Zelfs het kopje pakken, erin roeren en het naar haar mond brengen, leek te zwaar op dat moment.

Alexandra merkte niets van de gemoedstoestand van haar moeder. Ze praatte honderduit over haar opleiding voor lerares, waar ze zich met hart en ziel op toelegde.
Alexandra werd steeds meer de oude, peinsde Amanda terwijl ze naar het drukke gepraat van haar dochter luisterde. Haar stem leek van heel ver te komen, als een kabbelend beekje ergens op de achtergrond. Vroeger was ze ook zo druk en levendig geweest. Dat veranderde toen ze een jaar of tien, elf werd en Amanda was er altijd vanuit gegaan dat dat door de puberteit kwam. Was dat maar zo geweest! Ineens stond alles weer helder voor haar geest en haar lichaam maakte een schokbeweging die ze niet tegen kon houden.
„Wat is er?" vroeg Alexandra meteen bezorgd.
„Niks. Ik ben een beetje rillerig, misschien krijg ik griep," ontweek Amanda die vraag.
„Jij moet lekker vroeg je bed in, eens een lange nacht maken," zei Alexandra alsof zij de moeder was en Amanda de dochter. Ze stond op. „Ik ga nog even naar de wc en dan ga ik weg." Ze liep de gang in, maar kwam even later verschrikt de kamer weer in rennen. „Er is iets mis met je toilet. Het water blijft stromen, alles is nat!" riep ze paniekerig.
„O, nee hè?" Amanda stond op, even duizelde het voor haar ogen. Ook dat nog! Wezenloos nam ze de ravage in ogenschouw. Vanuit de ouderwetse stortbak stroomde het water met een harde straal het toilet in. De vloer stond al helemaal blank en het opspattende water maakte de muren nat.
„Doe iets!" riep Alexandra onredelijk.
Amanda deed het eerste dat in haar opkwam, namelijk naar buiten rennen en op de deurbel van haar buurman drukken. Hij was de enige persoon in de buurt die ze tenminste bij naam kende, dacht ze bij zichzelf. Hopelijk had hij meer verstand van dit soort zaken, want zij had echt geen idee wat ze hiermee aan moest.
Glenn Ramratansingh deed open en liep onmiddellijk met Amanda mee toen hij hoorde wat er aan de hand was.
„Eerst het kraantje dicht," zei hij beslist. Hij draaide aan een kraantje dat naast de stortbak was bevestigd en meteen stopte

het water met lopen. Het werd vreemd stil na het gekletter van even daarvoor.
Alexandra schoot in de lach. „Simpel, maar effectief. Wij zijn ook wel een stelletje mutsen dat we daar zelf niet aan gedacht hebben. Mam, ik dweil de boel voor je aan en dan ga ik er echt vandoor."
„Dan haal ik wat gereedschap om de boel te repareren," bood Glenn aan.
Een kwartiertje later was hij vrolijk fluitend aan het werk in het kleine toilet. Amanda zwaaide Alexandra uit en liep langzaam terug naar binnen.
„Wil je soms koffie?" vroeg ze aarzelend aan haar buurman.
„Lekker." Vanaf de hoge kruk waar hij op stond, keek hij vriendelijk op haar neer. „Dit klusje is zo gepiept, hoor, maar je hebt wel een nieuwe stortbak nodig. Dit is zo'n ouderwets geval, die zie je nergens meer. Volgens mij stamt hij nog uit de Middeleeuwen."
„Ik heb geen geld voor een nieuwe," bekende Amanda kleintjes.
„Maak je geen zorgen, dat komt voor rekening van de huisbaas. Ik zal hem morgen wel voor je bellen, ik ken hem," bood Glenn aan. Hij trok door, wachtte terwijl de stortbak opnieuw volliep en knikte tevreden toen het geluid van het ruisende water stopte. „Mooi, hij doet het weer. Ik kan alleen niet garanderen dat dat lang zo blijft."
„Ik ben je heel erg dankbaar voor je hulp."
„Niet nodig," woof hij dat weg. „Dat doe je gewoon voor elkaar. Geef me die bak koffie maar, dan staan we quitte." Handenwrijvend liep hij achter haar aan naar de keuken. „Nou komt het er tenminste toch eindelijk van dat we nader kennis maken met elkaar."
„Heeft je vrouw ook geen zin om even langs te komen?" Amanda dwong zichzelf tot deze vraag, want eigenlijk had ze het liefst dat Glenn meteen weer verdween en ze haar bed in kon, al was het dan pas kwart voor negen. Maar het was zo cru om dat te zeggen nadat hij direct zijn hulp had aangeboden.
Hij keek haar verbaasd en enigszins geamuseerd aan. „Mijn vrouw? Lieve buurvrouw, ik kan wel merken dat jij niet mee-

doet aan het geroddel hier in de wijk. Mijn vrouw is acht jaar geleden overleden. Kinderen hadden we niet, dus ik woon alleen."
„Sorry," mompelde Amanda in verlegenheid gebracht.
„Geeft niet. Mag ik nou nog wel blijven, nu je dit weet? Of moet ik weg omdat er geen chaperonne bij is?" daagde hij haar uit.
„Een kwartiertje dan," plaagde Amanda terug.
Dat kwartiertje liep uit tot een paar uur. Ze zaten zo gezellig te praten dat Amanda de tijd helemaal vergat en pas om half één die nacht tot de ontdekking kwam dat de volgende dag al begonnen was.
„Over een paar uur moet ik mijn bed al uit," constateerde ze geschrokken. Plotseling overviel die dodelijke moeheid haar weer. Zonder dat ze het tegen kon houden, rolden de tranen over haar wangen. „En ik ben al zo moe," snikte ze. „Met acht uur slaap kom ik de dagen al niet door." Ze kwam overeind, maar een duizeling dwong haar om weer te gaan zitten. Glenn was al bij haar.
„Doe je hoofd even tussen je knieën," beval hij.
Willoos deed Amanda wat hij vroeg, het drong niet eens tot haar door dat dit een absurde situatie was. Hier zat ze nu, dubbelgevouwen op haar bank, met haar hoofd tussen haar knieën in en een man naast haar die ze pas een paar uur kende.
Langzaam trok dat enge gevoel een beetje weg, al bleef ze sterretjes zien.
„Het spijt me, ik weet niet wat me ineens overkwam," zei ze bibberig.
„Ik wel. Je bent oververmoeid, dat kan een leek zien. Jij moet je morgen ziek melden op je werk en een paar dagen in bed blijven."
„Dat kan niet. Ik heb mijn baan veel te hard nodig, bovendien heb ik twee kinderen waar ik voor moet zorgen," stribbelde Amanda tegen. Haar stem miste echter iedere overtuigingskracht. Glenns woorden klonken zeer aanlokkelijk in haar oren. Ze zou er heel wat voor over hebben om te kunnen doen wat hij zei.
„Je wordt heus niet ontslagen omdat je een keer ziek bent,"

sprak hij. „Trouwens, door nu een week in bed te blijven, kun je erger voorkomen, anders heb je grote kans dat je straks een paar maanden uit de roulatie bent. Je bent hard bezig om overspannen te raken."
„En de kinderen dan?" vroeg Amanda kleintjes.
„Geef me je huissleutel, dan kom ik ze morgenochtend halen om naar school te brengen. Maak je niet bezorgd, ik heb vaker voor kleine kinderen gezorgd, ik heb een hele rits neefjes en nichtjes. Laat alles maar aan mij over," zei hij geruststellend.
Het kwam niet meer in Amanda op om hem tegen te spreken, ze was alleen maar blij dat iemand het heft in handen nam en voor haar wilde zorgen. Ze was zo oneindig moe...
Met wankele passen, ondersteund door een bezorgde Glenn, liep ze naar haar slaapkamer toe. Ze was zo ontzettend moe dat ze helemaal niet meer besefte wat er gebeurde. Haar hoofd leek wel verpakt te zitten in een zak watten en haar lichaam reageerde uiterst traag op haar hersenprikkels. Als in slow motion liet ze zich op haar bed zakken. Ze vond het niet eens vreemd dat Glenn hielp met het uittrekken van haar bovenkleding, waarna hij haar zorgzaam toedekte. Ze sliep al voor hij haar slaapkamer verlaten had, er volkomen op vertrouwend dat het goed kwam nu er iemand voor haar klaarstond.
Ze merkte niet dat Glenn de kopjes opruimde en afwaste en even later de huisdeur zorgvuldig achter zich op het nachtslot draaide, evenmin hoorde ze hem de volgende ochtend binnen komen en de kinderen wakker maken. Timo en Bennie reageerden wantrouwend op de aanwezigheid van de man die ze alleen van gezicht kenden, maar na zijn verklaring dat mama ziek was en rust nodig had, hielpen ze gewillig mee. Ze wasten zich en kleedden zichzelf aan terwijl Glenn ontbijt voor ze maakte en hun broodtrommeltjes voor tussen de middag vulde.
Pas om tien voor drie die middag ontwaakte Amanda heel langzaam uit haar diepe slaap, met het gevoel of ze slechts een uurtje nachtrust achter de rug had. Ze kon nog uren doorslapen als het moest, maar een blik op de wekker deed haar geschrokken overeind veren. Onmiddellijk draaide de kamer woest voor haar ogen. Mensenlief, wat mankeerde haar toch? Uiterst voor-

zichtig sloeg ze haar benen over de rand van het bed, waarna ze langzaam opstond. Dat ging tenminste goed, al leken haar benen dan van stopverf gemaakt te zijn. Haar blik viel op een dienblad dat op het nachtkastje stond. Er stond een beker koud geworden thee op, een bord met twee beschuitjes, een glaasje sinaasappelsap en een gekookt ei. Tegen het glas stond een briefje.
'Lieve buurvrouw,' las ze. 'Ik denk dat dit ontbijtje wel koud is tegen de tijd dat je wakker wordt, maar je zoons stonden erop dit voor je te maken, omdat een ziek mens goed moet eten. (volgens Bennie) Ik heb je kinderen op tijd naar school gebracht en indien nodig haal ik ze voor zessen op bij de naschoolse opvang. Van Timo hoorde ik waar je werkt en ik heb vanochtend gebeld om je ziek te melden. Je moet de groeten van ene Roel hebben en hij wenst je beterschap. Bel me als je wakker bent. Glenn.' Onder zijn naam had hij zijn telefoonnummer vermeld.
Amanda las het briefje een paar keer over voor het echt tot haar doordrong. Langzaam kwamen ook de beelden van de vorige avond weer terug op haar netvlies. Ze was bijna flauw gevallen, herinnerde ze zich. En dat niet alleen. Ze had gehuild en Glenn had haar geholpen met uitkleden. Het schaamrood steeg naar haar kaken bij de gedachte aan alles wat er voorgevallen was. Hij zou geen al te hoge dunk van haar hebben, peinsde ze. Hoewel, het briefje was lief genoeg. Weer las ze die paar zinnen en een warm gevoel doorstroomde haar lichaam. Wat een fantastische man om dat allemaal voor haar te doen terwijl ze elkaar amper kenden!
Zenuwachtig toetste ze het telefoonnummer in dat op het briefje vermeld stond.
„Met mij, Amanda," zei ze toen hij bij de eerste bel opnam.
„Zo, ben je eindelijk wakker?" vroeg hij half lachend.
„Nou, nog niet uit overtuiging," gaf ze toe. „Eerlijk gezegd voel ik me alsof ik helemaal niet geslapen heb en ik zou makkelijk nog een paar uur mijn ogen dicht kunnen doen."
„Dan doe je dat toch?" stelde hij nuchter voor. „Ik haal de kinderen wel op, geen probleem. Lusten jullie Chinees eten? Dan

haal ik dat samen met Timo en Bennie onderweg en dan maken we jou wakker als we thuiskomen."
Weer schoten de tranen in Amanda's ogen, nu van ontroering.
„We kennen elkaar helemaal niet, waarom doe je zoveel moeite voor me?" vroeg ze onzeker.
„We zijn op de wereld om elkaar te helpen," was Glenns simpele verklaring. „Ik heb ook wel eens hulp nodig en ik reken erop dat ik dan op mijn beurt bij jou terecht kan."
„Zeker weten," lachte Amanda alweer. „Tot straks dan maar?"
„Oké. En slaap lekker," voegde hij er nog geamuseerd aan toe.
Dat liet Amanda zich geen twee keer zeggen. Met een zucht van verlichting trok ze opnieuw het nog warme dekbed over zich heen, in het zalige besef dat ze even alle verplichtingen en verantwoordelijkheden op andermans schouders mocht leggen.
Het was een gevoel dat ze lang niet ervaren had, om precies te zijn niet meer sinds die ene, noodlottige avond waarop Elvira de harde waarheid op tafel had gegooid.

HOOFDSTUK 11

Om kwart over zes werd Amanda gewekt door Timo, die voorzichtig zijn hand op haar voorhoofd legde.
„Hallo lieverd," glimlachte ze. Ze sloeg haar armen om hem heen en trok hem even naast zich op het bed. Timo was een echt knuffelkind, als er tenminste niemand bij was.
„Ben je weer beter?" vroeg hij terwijl hij aanhankelijk tegen Amanda aankroop.
„Nog niet helemaal. Maar als jullie zo doorgaan met zo goed voor me zorgen, kan dat nooit lang meer duren. Dat ontbijt was een heerlijke verrassing." Amanda zegende het feit dat ze het dienblad had opgeruimd en de oudbakken beschuitjes onder in de vuilniszak had gepropt. Het zou een enorme teleurstelling voor Timo zijn geweest als hij het onaangeroerde eten nu op haar nachtkastje had zien staan.
Ze trok haar duster aan en ging naar de keuken, waar Glenn en Bennie de tafel hadden gedekt. Heerlijke geuren dreven door de ruimte en Amanda realiseerde zich dat ze honger had.
„O heerlijk, eten," zei ze dan ook. Ze schoof aan en lachte naar Glenn. Ze voelde zich niet eens ongemakkelijk bij hem, ondanks dat dit een rare situatie was en hij haar de vorige avond niet bepaald op haar best had gezien. Glenn nam alles zo vanzelfsprekend op dat het ook allemaal heel gewoon leek en Amanda zich nergens voor geneerde. „Je eet toch zelf ook wel mee?" vroeg ze.
Hij grijnsde op een jongensachtige manier naar haar. „Dat was wel mijn bedoeling, ja. Eerlijk gezegd is het nog geen moment in me opgekomen om me beleefd terug te trekken in mijn eigen huis."
Het werd een gezellige maaltijd met zijn vieren. Amanda voelde zich beter dan in weken het geval was geweest en at als een wolf. De kinderen, gevoelig voor de goede sfeer, lieten zich ook niet onbetuigd. Het was lang geleden dat het zo ongecompliceerd gezellig was geweest aan tafel, peinsde Amanda terwijl ze de gezichten langs keek. Meestal was het al jachten om de maaltijd op een behoorlijke tijd klaar te krijgen en at ze haastig

met haar blik op de klok gericht, omdat ze het belangrijk vond dat de kinderen op tijd in bed lagen. Timo en Bennie zaten elkaar vaak te stangen, moe van een lange dag, of ze klaagden dat ze hun groente niet lustten. Al met al was het meer een dagelijkse verplichting geworden dan een gezellig rustpunt in de dag. Amanda ontdekte meteen dat het haasten van haar, wat een gewoonte was geworden, helemaal niet nodig was. Nu ze in alle rust van haar maaltijd genoten had, bleek er toch nog zeeën van tijd te zijn om Timo en Bennie te wassen, een spelletje te doen en ze in bed te leggen. Om kwart over acht lagen ze in bed en was de etensboel aan kant, zonder dat ze het gevoel had dat ze maar ternauwernood de race tegen de klok gewonnen had.

„Voor mijn gevoel is het al veel later," verbaasde ze zich.

„Dat komt omdat je voortdurend denkt dat je achter de feiten aanloopt terwijl dat helemaal niet zo is," beweerde Glenn. „Als je iets op een relaxte manier doet, kost het net zoveel tijd als wanneer je loopt te jachten en te stressen, al denken de meeste mensen van niet. Het klinkt ook tegenstrijdig, maar juist door de zaken rustig aan te pakken, bespaar je tijd. Chaos is tijdrovend, op welke manier dan ook."

„Je zult wel gelijk hebben. Ik heb nooit veel haast en stress gehad in mijn leven. Vanaf het begin van mijn trouwen totdat Bennie naar school ging ben ik altijd alleen huisvrouw en moeder geweest en hoewel dat druk genoeg was, verliep dat altijd op een vanzelfsprekende manier en was er altijd voldoende rust in huis. Toen ik eenmaal ging werken, parttime, kwam mijn werkster wat vaker om me te ontlasten, bovendien hielp mijn man actief mee met de kinderen. Op de koopavond was hij bijvoorbeeld altijd vroeg thuis om ze op te vangen, dat is nooit een punt geweest. Eigenlijk ben ik verwend," ontdekte Amanda. „Als ik wel eens las of hoorde over vrouwen die de hele dag lopen te rennen en bij wie niets verkeerds mag gaan omdat het zorgvuldig geplande schema dan in de war loopt, had ik daar altijd medelijden mee. Ik vroeg me dan af waarom ze zich dat vrijwillig op de hals haalden en nu zit ik zelf in die situatie."

„Maar niet vrijwillig," merkte Glenn op. Hij maakte een dienblad met koffie en zette er een schaal met twee slagroomgebakjes op.
„Hebben we iets te vieren?" vroeg Amanda begerig. Hoewel ze net een copieuze maaltijd naar binnen had zitten werken, liep het water haar in de mond bij de aanblik van de slagroom.
„Ja. We vieren dat jij tijdig hebt ingezien dat je overspannen aan het raken was en dat je nu gas terugneemt om erger te voorkomen," zei Glenn opgewekt.
Haar lach klonk helder door de verder stille kamer. „Zo kun je het ook bekijken. Sta jij altijd zo positief in het leven?"
„Dat probeer ik wel. Het leven is te mooi en te kostbaar om er een puinhoop van te maken. Met een lach, een beetje relativeringsvermogen en een helpende hand naar je omgeving kun je het voor jezelf heel aangenaam maken. Slechte dingen komen vanzelf wel op je pad, daar hoef je geen moeite voor te doen, je hebt echter wel zelf in de hand hoe je ermee omgaat."
„Tot die conclusie zul je ook niet vanzelf gekomen zijn."
„Dat niet, nee." Zijn gezicht betrok even. „Maar een mens heeft de keus in alles wat hij doet. Zelfs als hij gedwongen wordt tot een bepaalde situatie, dan heb je nog zelf de keus in hoe je dat aanpakt. Je kunt in een hoekje van de bank gaan zitten pruilen, maar je kunt ook de schouders eronder zetten en er het beste van maken."
„Ik vind het heel knap als je dat kunt," zei Amanda peinzend. „En het klinkt in theorie ook heel logisch, maar in de praktijk valt het lang niet altijd mee. Ik heb er tenminste heel erg veel moeite mee om de positieve kanten van mijn leven op dit moment te ontdekken. Het bestaat in praktische zin uit werken, kinderen opvoeden en het huishouden doen, terwijl ik me in emotioneel opzicht vooral schuldig, kwaad en verdrietig voel. Ik zou echt niet weten hoe ik me daar bovenuit kan worstelen."
„Daar ben je anders al druk mee bezig, al besef je dat misschien zelf niet. Levenservaring speelt hierbij natuurlijk ook een grote rol. Een positieve instelling krijg je meestal niet vanzelf mee, die ontwikkel je juist door negatieve dingen mee te maken en

vervolgens te ontdekken dat die je er niet onder hebben kunnen krijgen. Daardoor groeit je zelfvertrouwen. Hoe oud ben je?"
„Tweeënveertig."
„Ik ben zesenveertig, dat scheelt een stuk," lachte hij.
„Ja, enorm. Mijn oudste dochter werkt in een bejaardentehuis, je mag je plekje daar wel vast reserveren, anders ben je te laat," overdreef Amanda. Ze nam een grote hap van haar gebakje en liet het genietend door haar keel glijden. „Dit smaakt heerlijk."
„Mooi, dat was ook de bedoeling. Bewaar je die slagroom soms voor morgen?" Hij boog zich naar haar toe en wreef met zijn wijsvinger over haar neus, waar een flinke dot van de witte substantie zat. „Dan heb je pech, nu ben je te laat." Vergenoegd likte hij zijn vinger af en hij keek haar plagend aan. Hun ogen waren dicht bij elkaar en één moment vroeg Amanda zich af of hij haar ging kussen. Ze verstarde, maar toen hij weer naar achteren leunde zonder dat er iets gebeurde, ging er een golf van teleurstelling door haar lichaam heen. Ze weigerde zich af te vragen waarom dat zo was.
„Heb jij veel negatieve levenservaringen?" vroeg Glenn, doorgaand op hun eerdere, serieuze gesprek.
„Tot een paar maanden geleden niet. Mijn jeugd was normaal, ik trouwde al jong met Rudi, kreeg twee kinderen en tien jaar later nog twee en ben altijd redelijk gelukkig geweest met mijn leven. In het begin van ons huwelijk hadden we het financieel niet makkelijk en de laatste jaren hadden we veel problemen met onze opgroeiende dochters, maar dat zijn algemene zaken, waar iedereen mee te maken krijgt. Echte moeilijkheden in de zin van ziektes of het verliezen van dierbare personen of ontslag of iets dergelijks hebben we nooit gehad. We zijn wel allebei onze ouders verloren, maar die waren op een leeftijd dat je daar vrede mee kunt hebben. Leuk is dat nooit, maar wel de levensloop, dat is normaal. Mijn leven is altijd nogal rustig voortgekabbeld, zonder enorme hoogte of dieptepunten, die ik overigens ook nooit heb gemist. Ik was tevreden en gelukkig en verlangde ook niet naar iets anders."
„Tot een paar maanden geleden dus," herhaalde Glenn haar

eigen woorden toen Amanda zweeg. „Wil je praten over wat er gebeurd is?"
„Eigenlijk wil ik het liefst alles achter me laten en vergeten, maar ik ben allang tot de ontdekking gekomen dat het zo niet werkt. Ik kan niet net doen of er niets voorgevallen is, want ik word voortdurend geconfronteerd met de gevolgen," peinsde Amanda. „Vind je het niet vervelend om naar mijn gezeur te luisteren?"
Glenn gaf daar geen antwoord op, hij keek haar alleen met licht opgetrokken wenkbrauwen aan en Amanda capituleerde. Het was prettig om met deze man te praten, hij gaf haar het gevoel dat alles wat ze zei belangrijk was.
„Er is plotseling een bom gevallen op mijn onbezorgde leventje. Het gebeurde op een gewone avond. We hadden gegeten, Timo en Bennie lagen in bed en Rudi en ik dronken koffie met onze twee dochters. Gewoon, gezellig, niets aan de hand, tot onze dochters ineens allebei met de mededeling kwamen dat ze het huis uit wilden. Het gesprek daarover liep nogal hoog op en toen..."
Amanda stokte. Die afschuwelijke avond stond ineens weer helder op haar netvlies, ze voelde weer die bijna lijfelijke pijn bij Elvira's beschuldigingen. „Toen kwam de aap uit de mouw," vervolgde ze moeizaam. „Ze waren de laatste jaren niet zomaar lastig omdat het nu eenmaal pubers waren, er was wel degelijk een reden voor hun gedrag. Het bleek dat Rudi ze een tijd lang had betast en seksuele spelletjes met ze had gespeeld toen ik zwanger was van Timo. Het is al jaren geleden en het duurde niet eens zo lang, maar dat maakt het niet minder erg. De dag erna heb ik de scheiding aangevraagd."
„En je dochters?"
„Elvira woont op kamers, Alexandra ging samenwonen met haar vriendje, maar gisteren heb ik gehoord dat het al een paar weken uit is tussen hen. Ze is bij Elvira ingetrokken."
„Dus die twee hebben steun aan elkaar," constateerde Glenn. „En wie heb jij?"
Het bleef lang stil na die vraag. Dat was iets waar Amanda eigenlijk nog nooit bij stil had gestaan. Ze had wel vriendinnen,

maar het contact daarmee was in de loop van de jaren oppervlakkiger geworden. Met haar collega's van het warenhuis ging ze goed om, maar behalve Roel wist niemand van haar privé omstandigheden af en dat wilde ze graag zo houden. Met de enkele familieleden die ze had, was het contact ook niet zo hecht dat ze dergelijke zaken met hen besprak.
„Niemand," was haar conclusie.
„Dat dacht ik al. Geen wonder dat het je allemaal teveel is geworden en je een inzinking hebt. Ik zou het veel vreemder hebben gevonden als dat niet het geval was geweest," zei Glenn op droge toon. Hij pakte haar handen vast en kneep er zachtjes in. „Maar vanaf nu sta je er niet meer alleen voor, Amanda. Ik heb hele brede schouders die tegen een stootje kunnen, vergeet dat nooit."
„Waarom?" fluisterde Amanda. „We kennen elkaar amper en toch bied je zoveel vriendschap en steun."
„Dat heb ik je al gezegd. Ik geloof in medemenselijkheid en behulpzaamheid. Bovendien denk ik dat een mens er alleen maar beter van wordt als hij openstaat voor anderen. Door jou te helpen, help ik ook mezelf."
„Aha, dus eigenlijk ben je gewoon een doortrapte egoïst," zei Amanda met een waterig glimlachje. De onverwachte en onvoorwaardelijke vriendschap die haar zo plotseling werd aangeboden door iemand die gisteren nog een wildvreemde voor haar was, deed de tranen alweer in haar ogen schieten. Zoals zo vaak de laatste tijd, ze werd een echte huilebalk.
„Precies," reageerde Glenn vrolijk op haar woorden. Hij vond het hoog tijd worden om de stemming iets luchtiger te maken en was blij dat Amanda gevoel voor humor bleek te hebben. „En deze egoïst gaat nu eens iets te drinken inschenken, want ik krijg een droge keel van dat gepraat. Wil jij ook iets?"
„Lekker, een vruchtensapje of zo." Amanda drukte zich behaaglijk in de kussens van haar bank. „Wat een luxe, iemand die niet te verlegen is om zijn eigen drank in te schenken. Daar ga ik eens schaamteloos van genieten."
„Ik geef je groot gelijk." Hij knikte haar hartelijk toe. „Dat heb je wel eens nodig. Voorlopig wil ik dat jij niets anders doet dan

uitrusten en bijkomen, zodat je weer sterk genoeg wordt om het leven dat je nu leidt aan te kunnen."
„Ja pa," zei Amanda braaf.
Ondanks dat ze zoveel uren geslapen had, soesde ze alweer een beetje weg terwijl Glenn in de keuken bezig was. Ze voelde zich op dat moment heerlijk rustig en veilig en nam de zo spontaan aangeboden hulp dankbaar aan, zonder zich af te vragen of dat wel kon. Glenn was onverwachts, maar op een zeer vanzelfsprekende manier in haar leven gekomen en zijn gezelschap voelde zo normaal en vertrouwd alsof ze al jaren bevriend waren.
„Jij hebt alweer slaap," zei Glenn op een beschuldigende toon.
„Eigenlijk wel, maar het is zo gezellig dat ik helemaal geen zin heb om naar bed te gaan. Ik geniet ervan om met je te praten," bekende Amanda enigszins verlegen. Het was niets voor haar om zoiets openlijk te zeggen, maar ze meende elk woord. Bij Glenn was het niet nodig om ieder woord op een goudschaaltje te wegen en zich af te vragen of ze iets wel of niet kon zeggen, daar was ze al achter. Hij had niets op met verplichte beleefdheden of oppervlakkig geklets zonder inhoud.
„Morgen kun je weer lekker uitslapen," lachte hij. „En voorlopig iedere dag, zolang je wilt. Ik vind het wel leuk om voor die knullen van je te zorgen. Het ging prima vanochtend. Ze vonden het niet eens vreemd dat ik er was, nadat ik uitgelegd had dat jij ziek was. Kinderen maken niet zo gauw problemen en zien geen bezwaren, die nemen alles als vanzelfsprekend aan. Jammer dat de mensen dat afleren op weg naar de volwassenheid."
„Dat komt omdat de meeste mensen niet zomaar iets voor een ander doen," dacht Amanda. „Vanzelfsprekende hulp is over het algemeen ver te zoeken en als het aangeboden wordt, wil niemand het aannemen, omdat mensen zich dan bezwaard voelen. Iedereen denkt altijd maar dat hij of zij zelf de zaken moet kunnen regelen. Hulp aanvaarden wordt gezien als een teken van zwakte."
„Of mensen zijn bang dat ze je lastig vallen, terwijl je het toch niet voor niets aanbiedt," vulde Glenn aan. „Gelukkig ben jij

anders, ik heb van jou tenminste nog geen duizend-en-één bezwaren gehoord."
„Ik heb ze wel gedacht," bekende Amanda lachend. „Hoe doe jij dat bijvoorbeeld met je eigen werk? Je biedt je hulp zo lief aan, maar je zult toch ook wel een baan hebben waar je iedere dag op tijd moet zijn."
Hij schudde zijn hoofd. „Ik heb het meest heerlijke en vrije beroep ter wereld. Ik schrijf boeken, korte verhalen en songteksten. Zonder baas, zonder dwang en op uren die ik zelf bepaal, dus mooier kan het niet. Soms sluit ik mezelf dagenlang achter elkaar op en kom ik amper achter mijn bureau vandaan, maar het gebeurt ook regelmatig dat ik een hele week niets doe. Ik heb geen vaste deadline, al zorg ik er wel voor dat er regelmatig nieuw werk op de bus gaat."
„Die vrijheid lijkt me heerlijk, maar het zal toch ook zijn nadelen wel hebben. Wat doe je bijvoorbeeld als je barst van de inspiratie, maar je moet naar een afspraak toe?"
Glenn schoot in de lach. „Lieve schat, dat van die inspiratie is een fabeltje. Het gebeurt wel eens dat ik een idee krijg en ik niet kan wachten om het uit te werken, maar dat zijn de uitzonderingen. Normaal gesproken ga ik gewoon beginnen en dan komt er vanzelf wel wat uit de computer. Als je op inspiratie gaat zitten wachten, gebeurt er erg weinig hoor." Hij neuriede een bekend liedje dat wekenlang boven aan de hitlijsten had gestaan. „Ken je dit? Dit heb ik geschreven en is typisch een voorbeeld van een lied dat geboren is uit inspiratie. Binnen een half uur had ik het helemaal af, maar dat is dan ook de enige songtekst van mij die zo gemaakt is. De rest van de door mij geschreven liedjes zijn ontstaan door gewoon beginnen te schrijven, verbeteren, doorhalen en constant overnieuw beginnen tot je de juiste woorden hebt gevonden. Schrijven is ook gewoon hard werken."
„Ik heb ooit een interview gelezen met een bekende schrijver, die zei dat hij overal notitieblokjes had liggen, zodat hij zijn ideeën altijd meteen kon opschrijven en uitwerken," herinnerde Amanda zich. „Volgens die man kon hij op ieder moment van de dag inspiratie krijgen en dan liet hij alles schieten waar hij

mee bezig was om te gaan schrijven. Ook 's nachts, tijdens het eten of als hij bijvoorbeeld ergens op bezoek was. Zijn vrouw werd er gek van."
„Het zal voor iedere schrijver anders zijn, maar ik heb altijd mijn bedenkingen bij dit soort verhalen. Meestal zeggen ze dat om interessant te doen. Ik schuif gewoon 's morgens achter mijn computer en ik werk een aantal uren, dan lunch ik en werk ik verder, zoals de meeste mensen. Soms zit ik 's avonds te schrijven, als ik daar zin in heb en een enkele keer ook 's nachts, maar dat doe ik alleen als ik iets af wil hebben of als ik een paar dagen weinig tijd heb gehad om te werken."
„Wat voor soort boeken schrijf je?" wilde Amanda weten.
„Detectives. Jij verkoopt mijn boeken ook in de winkel, alleen weet je dat niet. Mijn pseudoniem is William Shelter. Dat is de naam van mijn Amerikaanse opa, de vader van mijn moeder. Die man was vroeger mijn grote held," vertelde Glenn.
„William Shelter!" riep Amanda uit. „En of ik die ken!" Ze sprong overeind en liep naar haar boekenkast, waar ze een stapeltje boeken pakte. „Kijk, ik heb ze zelf ook allemaal, behalve de eerste. Die is nergens meer te krijgen, dus ik hoop dat die ooit herdrukt wordt. Het zijn mijn lievelingsboeken. En dat zeg ik niet om te slijmen," voegde ze er lachend aan toe. „Kijk maar, ik kan het bewijzen. Ze zijn letterlijk stukgelezen. Ook al weet je na één keer lezen wie de dader is, toch blijven ze boeiend, vind ik."
„Dat eerste boek krijg je van mij, gesigneerd en wel," beloofde Glenn.
Amanda straalde. „Wat ontzettend leuk, dank je wel. Gek, ik heb nooit beter geweten dan dat William Shelter een Amerikaan was."
„Gedeeltelijk. Mijn moeder is Amerikaanse en mijn vader een Surinamer, vandaar mijn bruine huid. Ze woonden echter al lang voor mijn geboorte hier in Nederland, dus ik ben een rasechte Nederlander." Glenn grijnsde. „Al denken sommige mensen daar anders over."
„Ondervind je veel discriminatie?"
„Soms. Over het algemeen valt het wel mee, maar als er een

buitenlander negatief in het nieuws komt vanwege een moord of zo dan kijken de mensen me weer een paar dagen scheef aan. Alsof alle mensen met een bruine huidskleur hetzelfde zijn. Vroeger kon ik me daar erg over opwinden, tegenwoordig laat ik het van me afglijden. Ik doe ook niet extra mijn best om aardig gevonden te worden, wat ik jaren geleden nog wel deed. Toen dacht ik dat ik beter, aardiger en intelligenter moest zijn dan blanke mensen om geaccepteerd te worden, nu ben ik gewoon mezelf."

„Wat sowieso aardiger en intelligenter is dan de meeste mensen," zei Amanda spontaan. „Ik ken zat blanken die een voorbeeld aan jou kunnen nemen."

„Iedere mens is een mengeling van goed en kwaad," meende Glenn serieus. „Vergis je niet, ik heb meer dan genoeg slechte eigenschappen, maar daar kom je nog wel achter."

„Ik ook, ik ben bijvoorbeeld erg lui." Amanda hief haar glas naar hem op. „Wat dacht je van nog iets te drinken?"

Hij lachte en stond meteen op om de glazen nog eens te vullen. „Als je genoeg van me hebt, moet je me eruit gooien, hoor," zei hij bij terugkomst in de kamer. „Ik ben een notoire plakker als ik eenmaal ergens op mijn gemak zit. Uit mezelf ga ik nooit weg."

„Ik vind het nog steeds fijn dat je er bent." Hun ogen vonden elkaar en Amanda bloosde. Ergens onder in haar buik begon iets te kriebelen, een gevoel dat ze al jaren niet meer had gehad. Het was prettig en beangstigend tegelijk. „Ik vraag me wel iets af," zei ze snel, omdat ze niet over die gevoelens na wilde denken en er zeker niet aan toe wilde geven. „Maar misschien vind je dat te vrijpostig."

„Laat horen, als ik niet wil, geef ik er gewoon geen antwoord op," zei Glenn onbekommerd.

„Als schrijver van boeken die regelmatig op de bestsellerslijst staan en als tekstschrijver van liedjes die wekenlang de hitparade beheersen hoef je toch niet in een buurt als deze te wonen. Ik bedoel, dit zijn allemaal oude, goedkope huurhuizen, je moet je toch iets beters kunnen permitteren."

„Vind je dat vrijpostig? Je mag het gerust weten hoor. Iets duurder kan ik me zonder meer veroorloven, maar of dat ook beter is? Dat vraag ik me serieus af. Hier woon ik al sinds de dag dat ik trouwde en ik heb het altijd naar mijn zin gehad. Mijn huis is in de loop van de jaren een echt thuis geworden, een plek waar ik me goed voel. Bovendien heb ik er de herinneringen aan mijn vrouw. Die zitten in mijn hoofd en mijn hart, dat weet ik wel, maar in dit huis, waar ze gelukkig was, voel ik haar aanwezigheid nog steeds." Hij zweeg en staarde even nadenkend voor zich uit. „Het lijkt nu misschien alsof ik krampachtig vast blijf houden aan het verleden, maar zo ligt het niet. Niet helemaal, tenminste. Als het nodig is of wanneer ik het zelf zou willen, zou ik onmiddellijk verhuizen, maar zolang ik hier naar mijn zin woon, zie ik daar het nut niet van in. Als ik een nieuwbouwwoning koop, heb ik centrale verwarming, een grote badkamer en een open keuken, maar ik vraag me af of ik daar gelukkiger van word. Ik denk het niet."

Amanda had stil naar zijn verklaring geluisterd. Ze ging deze man steeds leuker vinden, ontdekte ze. Hij was zo puur en ongecompliceerd, wars van kapsones of interessant gedrag en gezegend met een groot gevoel voor humor. Ze was dankbaar dat het lot haar een huis had gegeven naast het zijne. Glenn had zich nu al een onmisbare vriend getoond en een goede vriend had ze hard nodig. Het leven had haar haar man en tevens geliefde afgenomen, maar er een vriend voor teruggegeven. Misschien was dat helemaal nog niet zo'n slechte ruil.

HOOFDSTUK 12

„Ik eet vanavond niet thuis," zei Alexandra terwijl ze haar schoolspullen in haar tas propte. „Ik heb een afspraakje met een jongen uit een andere klas. Marcel."
„Dat komt dan goed uit, want ik ben er ook niet." Elvira onderdrukte een geeuw en keek vol verbazing toe hoe fris en monter Alexandra bezig was. Zij kon 's morgens nooit zo snel op gang komen en voor haar eerste kop koffie kwam er niets uit haar handen. Alexandra sprong daarentegen uit bed en ging direct aan de slag.
„Waar eet jij dan?" wilde Alexandra weten.
„Ray komt me halen en dan eten we onderweg wat. Zijn oma wordt binnenkort vijfenzeventig jaar en hij wil een verrassingsfeestje voor haar organiseren. Dat gaan we bespreken," vertelde Elvira. Ze goot het laatste slokje koffie naar binnen en stond op om zich te wassen.
„Leuk," lachte Alexandra. „Een bejaardenparty! Springen die mensen dan allemaal uit hun rolstoel om 'surprise' te roepen of zo?"
„Iets dergelijks, ja," grijnsde Elvira. Ze zag het al helemaal voor zich. „Ray is wel van plan om zoveel mogelijk mensen uit zijn oma's verleden naar het tehuis te halen voor een middagje. Het is zijn bedoeling er een soort reünie van te maken."
„Gezellig, kunnen ze elkaars rimpels tellen." Alexandra trok een vies gezicht en stond op. „Nou, ik ga er vandoor. Veel plezier vanavond."
„Jij ook."
„Zal best wel lukken. Marcel is de spetter van de school. Je had de jaloerse blikken van de andere meisjes moeten zien toen hij me mee uitvroeg." Uitgelaten rende Alexandra de drie trappen af terwijl Elvira onder de douche dook.
Alexandra was echt nog een kind, ondanks haar vaak stoere houding, bedacht ze. Zoals ze nu weer reageerde op die uitnodiging. Het karakter van die Marcel telde blijkbaar niet, ze viel voor zijn uiterlijk. Net als alle andere meisjes, zo te horen. Pubers. Elvira trok een gezicht naar zichzelf in de spiegel.

Vergeleken bij haar zus voelde zij zich vaak een oude vrouw. Ze had nooit meegedaan aan de verering voor knappe jongens, evenmin was ze verliefd geweest op popsterren of acteurs tijdens haar puberteit. Ze was eigenlijk nog nooit verliefd geweest, tot ze Ray leerde kennen.
Hun relatie duurde nu enkele weken en werd steeds hechter. Iedere keer als ze hem zag, stroomde er een blij gevoel door haar lichaam heen en hij ging steeds meer voor haar betekenen. Dat hij er leuk uitzag, was mooi meegenomen, maar Elvira viel vooral op zijn spontaniteit, zijn levenslust en zijn gevoel voor humor. Ze kon zich het leven zonder hem niet meer voorstellen. Van de gebeurtenissen die geleid hadden tot haar vertrek uit het ouderlijk huis wist hij nog niet, maar ze was wel van plan het hem binnenkort te vertellen. Ze schaamde zichzelf niet, maar het was geen gespreksonderwerp dat je even tussen neus en lippen door op tafel gooide. In het begin van hun relatie had ze besloten te wachten met het op de proppen komen van haar verhaal tot ze wat zekerder van hem was en dat moment was nu wel gekomen. Binnenkort, zeer binnenkort, zou ze het hem vertellen.
Om vijf uur die dag wachtte Ray haar op en samen liepen ze naar een eetcafé in de binnenstad. Hij had zijn arm om haar schouder geslagen en Elvira's arm rustte op zijn heup. Zo, gezellig kletsend liepen ze door de drukke straten, die bevolkt werden door mensen die zich vanuit hun werk naar huis haastten. Af en toe lachten ze naar elkaar en dan maakte Elvira's hart een sprongetje. Dit was puur geluk, besefte ze. Samen zijn met degene waar je van hield, je op je gemak voelen bij elkaar en steeds weer blij zijn als je elkaar zag. De sfeer tussen hen was ontspannen en vol verwachting, als de eerste voortekenen van de lente na een lange, koude winter.
Tijdens het eten bespraken ze de plannen voor de vijfenzeventigste verjaardag van mevrouw Evers.
„Het moet een fantastische dag voor haar worden," zei Ray vol vuur. „Dat heeft ze wel verdiend na alles wat ze voor me heeft gedaan."
„Dat gaat ook lukken," beloofde Elvira hem. „De avond voor

haar verjaardag versieren wij samen het zaaltje, ze krijgt een echt feestontbijt en 's middags de reünie, met daarbij het dinerbuffet. Heb je het vervoer voor die mensen al geregeld?"
„Ja. De meesten komen met de taxibus of de rolstoelbus en zelf ga ik er ook een paar halen. Het zijn achttien mensen in totaal. Niet te veel, maar net een mooi clubje."
„Dan blijft het ook overzichtelijk voor je oma," merkte Elvira op. „Wie komen er allemaal?"
„Een aantal vriendinnen van vroeger, die ik opgespoord heb, enkele oud-collega's en buren die dertig jaar naast haar hebben gewoond in haar vorige huis," vertelde Ray. „Zoals je weet is onze familie niet uitgebreid, maar dit zijn allemaal mensen die ze in de loop van haar leven als familie beschouwd heeft. Met die buren heeft ze overigens nog steeds contact, maar sinds ze naar de andere kant van het land verhuisd zijn, is dat vooral schriftelijk. Ze hebben trouwens geschreven dat ze niet op haar verjaardag kunnen komen omdat ze dan op vakantie zijn, des te groter is de verrassing voor oma als ze er wel zijn."
Zijn gezicht straalde bij het vooruitzicht en Elvira's hart ging naar hem uit. Hij stortte zich met zoveel enthousiasme op het verrassingsfeestje voor zijn oma dat het aandoenlijk was. Welke jonge man getroostte zich zoveel moeite voor een oude vrouw? In het tehuis zag ze het vaak wel anders. Er waren verschillende bewoners die amper bezoek kregen, ook al hadden ze een paar kinderen en kleinkinderen. Natuurlijk lag dat ook wel eens aan de houding van de bejaarde zelf, maar Elvira had vaak genoeg meegemaakt dat de omgeving zich niets meer van iemand aantrok zodra die in het bejaardentehuis woonde. Voor veel kinderen was dat een makkelijke oplossing. Ma of pa zaten daar goed verzorgd, zodat zij zich konden onttrekken aan iedere verantwoordelijkheid. Soms kwamen ze haastig een half uurtje langs, om dan op het puntje van de stoel ongeduldig te wachten tot ze weer met goed fatsoen konden vertrekken. En als tegenpool daarvan zat hier Ray, die alles in het werk stelde om zijn oma een onvergetelijke dag te bezorgen.
„Ik ben stapelgek op je," zei Elvira plotseling spontaan, middenin zijn betoog.

Hij keek haar verbaasd aan, toen verscheen de inmiddels zo bekende grijns op zijn gezicht. „Dat is volkomen wederzijds," zei hij.
Onder de tafel vonden hun handen elkaar, het leek wel of er elektriciteit tussen hen heen en weer sprong. Elvira hield haar adem in bij dit speciale moment. Het voelde alsof het bloed in haar aderen vervangen was door stroop, zo zweverig was ze. Als bij afspraak stonden ze op en innig verstrengeld liepen ze naar haar kamer. Ze waren nog maar net binnen toen de telefoon overging. Met een verontschuldigend lachje naar Ray, die haar net wilde gaan zoenen, nam Elvira op.
„Hoi, met mij," klonk de opgewonden stem van Alexandra door de hoorn. „Zeg, ik kom vannacht niet thuis slapen. Ik blijf bij Marcel."
„Zou je dat nou wel doen?" vroeg Elvira bezorgd, maar Alexandra lachte haar hartelijk uit.
„Doe niet zo puriteins, dit is de eenentwintigste eeuw, hoor. De tijd van maandenlang handjes vasthouden voor je een stap verder gaat is voorbij."
„Je kunt het anders ook overdrijven," zei Elvira.
„Ik vraag niet om je advies en ik zit ook niet te wachten op je waarschuwingen. Ik bel alleen even uit goed fatsoen om door te geven dat ik niet thuis kom," reageerde Alexandra koeltjes.
Zonder op een weerwoord te wachten, verbrak ze de verbinding en Elvira legde langzaam de hoorn terug op het toestel. Alexandra klonk heel stoer en cool, maar ze kende haar zus goed genoeg om te weten dat die zich helemaal niet zo zelfverzekerd voelde. Er had een behoorlijk nerveuze ondertoon in haar stem gelegen. Waarom deed ze dan ook zo stom, foeterde Elvira in zichzelf. Ondanks haar grote mond was Alexandra erg beïnvloedbaar en durfde ze niet echt voor zichzelf op te komen, al beweerde ze dan altijd dat ze niets deed dat ze zelf niet wilde. Elvira was daar echter niet van overtuigd. Alexandra was met een natte vinger te lijmen.
„Slecht nieuws?" vroeg Ray bezorgd toen Elvira bewegingloos en diep in gedachten naast de telefoon bleef staan.

„Hè, wat?" Ze schrok op. „Nee, het was Alexandra om te melden dat ze vannacht niet thuis slaapt."
„Komt dat even goed uit." Ray liep op Elvira toe en nam haar in zijn armen. Zijn stem klonk hees en het was niet moeilijk te raden wat hij dacht.
„Nu even niet," zei Elvira zenuwachtig terwijl ze hem zacht van zich afduwde. „We moeten praten."
„Praten?" Hij trok zijn wenkbrauwen hoog op en keek haar geamuseerd aan. „Ik weet iets veel leukers om te doen nu we eindelijk een paar uur alleen zijn."
„Ik eh... Ik moet je iets vertellen." Elvira ijsbeerde door haar kamer, hier en daar wat spulletjes verzettend en verschuivend. Ze ontweek zijn ogen. „Wil je iets drinken?"
„Nee, ik wil horen wat je me te vertellen hebt," antwoordde Ray kalm. Hij pakte haar vast en duwde haar met zachte dwang op de bank, terwijl hij naast haar plaats nam. Zijn ogen stonden bezorgd en opmerkzaam. „Stop met uitstellen, Elvira. Als je me iets moet zeggen, doe het dan meteen. Je weet dat je met alles bij mij terechtkunt, ik vel niet snel een oordeel."
„Het is zo moeilijk. Dit is iets waar ik nog nooit met iemand over gepraat heb, behalve met Alexandra." Ze plukte nerveus aan een los draadje van haar broek, tot Ray haar hand vastpakte.
„Zit je broek niet zo te mishandelen," zei hij teder. „Is er vroeger iets gebeurd waar je over wilt praten? Heb je soms heel erg veel vriendjes gehad of zo? Of ben je soms ziek?" Hij schoot ineens ongerust overeind.
„Nee, dat is het niet," stelde Elvira hem gerust. „Het gaat inderdaad over mijn verleden, maar niet zoals jij denkt. Ik ben nog nooit.... Ik bedoel... Jij bent mijn eerste vriend, maar er is wel iets voorgevallen op dat gebied. Mijn vader heeft... Nou ja." Ze trok met haar schouders, alsof het haar verder niets kon schelen. „Mijn vader heeft mij en Alexandra een tijdje misbruikt. Nooit verkracht gelukkig, maar hij ging veel verder dan je van je vader mag verwachten. Het is al een paar jaar geleden, maar ik merk steeds vaker dat ik er nog steeds last van heb. Ik dacht het inmiddels wel verwerkt te hebben."

„Ach, lieve schat, wat vreselijk." Ray sloeg zijn armen stevig om haar heen en merkte tot zijn opluchting dat ze zich niet terugtrok. Dit verhaal maakte hem veel duidelijk, vooral haar afstandelijke houding in het begin. Des te dankbaarder was hij voor het feit dat ze zich nu tegen hem aannestelde. Het zou voor Elvira niet makkelijk zijn om een man te vertrouwen, begreep hij meteen. „Ik denk dat je zoiets nooit helemaal verwerkt," merkte hij bedachtzaam op. „Dergelijke gebeurtenissen gaan in je zitten en bepalen hoe je tegen de wereld aankijkt. Het enige dat je kunt doen is accepteren dat het je overkomen is en het een plek proberen te geven."
„Maar hoe?" vroeg Elvira zich wanhopig af. Ze voelde zich enorm opgelucht door zijn meelevende en begrijpende reactie. Ergens diep in haar hart was ze bang geweest dat hij een afkeer van haar zou krijgen als hij alles wist. Dat hij haar net zo vies zou vinden als ze zichzelf vaak vond. Smerig en bezoedeld.
„Dat weet ik ook niet. Als je jezelf maar wel altijd voor ogen houdt dat je er niet langer alleen voor staat. Ik ben er voor je, hoe dan ook. Als je wilt praten, wilt huilen, noem maar op. Tegenover mij hoef je je nooit ergens voor te schamen," zei Ray op ernstige toon.
Elvira keek naar hem op. Zijn gezicht was veel dichterbij dan ze dacht en even schrok ze daarvan, maar tegelijkertijd wist ze dat het goed was. Bij Ray hoefde ze niet bang te zijn, hem vertrouwde ze. Ze boog naar hem toe en drukte haar lippen vol op die van hem.
„Dank je," fluisterde ze.
„Daar hoef je me niet voor te bedanken, dat is logisch. Bij dit soort verhalen schaam ik mezelf altijd dat ik een man ben," bekende Ray.
Hij drukte haar nog dichter tegen zich aan, alsof hij haar wilde laten voelen dat hij er voor haar was. Elvira reageerde op dat gebaar door langzaam de knoopjes van zijn overhemd los te maken. Plotseling was alle onzekerheid van haar afgevallen. Dit voelde goed, daar ging het om. Ray stond los van haar vader. Met hem wilde ze vrijwillig meemaken wat haar vader haar opgedrongen had.

Ray pakte haar hand vast voor ze aan het derde knoopje kon beginnen.
„Weet je het zeker?" vroeg hij hees. „Je hoeft je helemaal nergens toe verplicht te voelen. Ik wil ontzettend graag met je vrijen, maar alleen als je daar zelf voor honderd procent achter staat. Als je er nog niet aan toe bent, begrijp ik dat ook."
„Ik weet het heel zeker," zei Elvira echter tot zijn grote blijdschap. „Ik ben zo blij dat ik jou ontmoet heb, jij hebt me geleerd dat er ook mensen zijn die ik wel kan vertrouwen. Met jou wil ik alles delen, ook dit."
Als antwoord tilde hij haar op en droeg haar naar het bed in de hoek van de grote kamer. Daar legde hij haar teder neer, om zich vervolgens over haar heen te buigen en haar hartstochtelijk te zoenen. Elvira liet zich volkomen meedrijven op de maalstroom van haar gevoelens. Het bloed joeg door haar lichaam en ze was duizelig van geluk. Dit gevoel was zo allesomvattend, dat had ze in haar stoutste dromen niet durven verwachten. Seks associeerde ze altijd met dingen die vies, stiekem en bedreigend waren, maar Ray leerde haar dat seks met liefde te maken had. Zelfs de gedachte aan haar vader, die tijdens de eerste zoen levensgroot op haar netvlies had gestaan, werd volledig naar de achtergrond gedrongen.
Dit had absoluut niets te maken met wat er in haar jeugd was gebeurd, dat besef drong na afloop als een bevrijding tot haar door. Ze voelde ook totaal geen remmingen tegenover hem, of onzekerheid. Integendeel, het voelde alsof ze al jaren bij elkaar waren. De sfeer tussen hen was ontspannen en vertrouwd. Innig tevreden kroop Elvira tegen hem aan in haar smalle bed.
„Ik wist niet dat het zo kon zijn," zei ze dromerig. „Seks was voor mij iets dat moest, niet iets dat je vrijwillig deed en zeker niet iets waar je plezier aan kon beleven."
„Dan hoop ik dat je nu van gedachten veranderd bent," zei Ray plagend.
„Absoluut," lachte Elvira. Ze richtte zich iets op en keek hem aan. „Ik denk dat ik er een nieuwe hobby bij heb. Je hebt wat aangericht de laatste uren, Ray. Voortaan zal je op afroep beschikbaar moeten zijn."

„Niets liever dan dat," verzekerde hij haar. Hij kietelde zachtjes over haar blote buik, tot ze kronkelend om genade smeekte en ze lachend en uitgeput tegen elkaar aan lagen.
Elvira stond op om iets te drinken voor hen in te schenken en hij volgde haar naar de keukenhoek, waar hij haar in zijn armen ving.
„Ik hou van je," zei hij innig. „En ik wil de rest van mijn leven met je doorbrengen. Wil je met me trouwen?"
„Wat?" Sprakeloos staarde Elvira hem aan, toen begon ze te lachen en te huilen tegelijk. „Natuurlijk wil ik dat. Ja! Ja! Ja!" riep ze.
De fles cola die ze in haar handen had, liet ze vallen. Hij stuiterde in de gootsteen en sproeide een fijne nevel over hen heen, maar dat merkten ze niet eens. Niets kon hun geluk van dat moment verstoren. Voor Elvira telde alleen Ray nog maar. Ze was zo ontzettend blij met zijn begrip en zijn houding tegenover haar verhaal dat ze overal ja op had gezegd, ook als hij haar gevraagd had naakt de polka te dansen. Ray had haar leven honderdtachtig graden omgekeerd en daardoor stroomde haar hart over van liefde voor hem. Zonder bedenkingen gaf ze zich opnieuw aan hem over. Niet alleen met haar lichaam, maar met haar hele hart en ziel. Op dat moment was ze wensloos gelukkig, voor het eerst sinds ze zich kon herinneren.

Voor Alexandra was de avond voor een gedeelte op dezelfde manier verlopen. Marcel had haar meegenomen naar een klein, intiem restaurantje en ze hadden gezellig zitten kletsen tijdens de maaltijd. Bij de koffie die achteraf werd geserveerd begon Marcel duidelijk te flirten en dubbelzinnige opmerkingen te maken. Alexandra, die nooit goed wist hoe ze daar op moest reageren, ging er op in. Haar hart protesteerde tegen dergelijk gedrag, maar dat kon niemand aan haar merken. Zo op het oog was ze een vlotte, jonge meid die niet vies was van een nachtelijk avontuurtje en dat was ook precies hoe Marcel haar inschatte.
Tevreden rekende hij af. Hij zat goed vanavond, dacht hij voldaan. Tot nu toe had hij nooit een tweede blik aan Alexandra

gewaagd, maar de laatste tijd deden er zoveel wilde verhalen over haar de ronde dat hij zich daar graag persoonlijk van wilde overtuigen. Ze was op haar zeventiende al bij een man ingetrokken en scheen nu op zichzelf te wonen en dat beviel hem wel. Ze hoefde tenminste niet om tien uur thuis te zijn, grinnikte hij in zichzelf. Dat was het nadeel van meisjes die enkele jaren jonger waren dan hijzelf, die hadden altijd te maken met bemoeizuchtige ouders.
In de garderobe overhandigde hij haar jas, waarbij hij zijn ogen betekenisvol over haar slanke lichaam liet gaan. Alexandra bloosde onder die blik. Haar ijdelheid werd gestreeld door het feit dat hij zo ondubbelzinnig liet merken haar mooi en aantrekkelijk te vinden, maar een lichte angst begon de kop op te steken.
„Het is mooi weer. Wil je een taxi of zullen we gaan lopen?" vroeg Marcel buiten.
„Lopen," besliste Alexandra. „Die maaltijd moet er weer af voor hij op mijn heupen gaat zitten."
„Daar zal jij weinig last van hebben," zei hij complimenteus. Bij die woorden liet hij zijn handen even langs haar lichaam glijden. „Mijn huis of jouw kamer?" vroeg hij toen nonchalant.
„Ik heb geen eigen kamer," antwoordde Alexandra van haar stuk gebracht. „Ik heb op school vaker gehoord dat ze denken dat ik op mezelf woon, maar dat is maar gedeeltelijk waar. Ik woon bij mijn zus in, op de zolder van een groot herenhuis."
„Oké, dan gaan we naar mijn huis," zei hij. „Dat is hier vlakbij, maar tien minuten lopen." Hij pakte haar bij haar elleboog en leidde haar door diverse straatjes in het centrum van de stad.
De gedachten tolden door Alexandra's hoofd. Eigenlijk vond ze het een beetje eng om alleen met hem te zijn, maar ze wist niet hoe ze dat moest zeggen. Het was nu net zo gezellig, dat wilde ze niet verpesten. Marcel woonde gewoon bij zijn ouders, wist ze, dus stelde ze zichzelf gerust met de gedachte dat die waarschijnlijk wel thuis zouden zijn.
Het bleek echter al snel dat Marcel zich daar weinig aan gelegen liet liggen. Eenmaal bij hem thuis stak hij alleen even zijn hoofd om de deur van de huiskamer heen.

„Ik ga naar boven," kondigde hij aan. „En ik heb een meisje van school bij me."
„Maak het niet te laat voor jullie gaan slapen," hoorde Alexandra een vrouwenstem zeggen, waarschijnlijk van zijn moeder.
Nou, dat was bij haar thuis wel anders gegaan! Vol verbazing klom ze achter Marcel aan twee trappen op die naar de zolder van de eengezinswoning leidden. Zijn ouders vonden het blijkbaar heel normaal dat er een wildvreemd meisje bleef slapen. Ze voerde een hevige tweestrijd met zichzelf. Maar al te goed wist ze wat er ging gebeuren als ze bij hem bleef en ze vroeg zich af of ze dat wel wilde. Eigenlijk niet, moest ze bekennen, toch liep ze willoos met hem mee. Het leek wel of het buiten haarzelf om ging. Nu terugkrabbelen zou waarschijnlijk ontaarden in ruzie, verwijten en morgen een hoop geroddel op school. Bovendien meende Alexandra dat ze al te ver mee was gegaan om nu te weigeren. Ze had hem de indruk gegeven dat ze er wel voor in was en wilde hem niet teleurstellen. En ach, waar maakte ze zich eigenlijk druk om, dacht ze bij het betreden van Marcels kamer. Ze hadden het toch gezellig samen? Ze voelde zich best prettig in zijn gezelschap en dat was belangrijk. De grote liefde, waar iedereen zijn mond altijd van vol had, bestond toch niet. Dat had ze wel bij haar ouders gezien.
Dus protesteerde ze niet toen hij haar uitkleedde, zei alleen dat ze even haar zus moest bellen om te melden dat ze niet thuis kwam slapen. Na slechts een kort voorspel drong hij al bij haar binnen. Het duurde niet lang, maar dat vond Alexandra niet erg. Nog lang nadat Marcel al voldaan in slaap was gevallen, lag zij met brandende ogen naar het plafond te staren. Haar gevoel had ze uitgeschakeld, zoals ze ook had gedaan na de schaarse vrijpartijen met Arjen. Ze moest wel. Als ze dat niet deed, verscheen het beeld van haar vader groot voor haar. Levensecht, alsof ze hem aan kon raken.

HOOFDSTUK 13

Alexandra hoorde het nieuws van Elvira's aanstaande huwelijk met gemengde gevoelens aan. Ze was blij voor haar zus, maar voelde zich verdrietig bij het idee dat ze haar hierdoor voor een groot deel kwijt zou raken. Voortaan zou Elvira in de eerste plaats bij Ray horen en zij, Alexandra, werd daardoor automatisch naar de tweede plek geschoven. De vertrouwelijke gesprekken, die ze vaak 's avonds laat in het donker voerden, zouden dan ook voorgoed afgelopen zijn. En dat had ze juist zo nodig. Alexandra stond heel angstig en onzeker in het leven, ondanks haar grote mond en vaak stoere houding. De gesprekken met Elvira hielpen haar vaak om de dingen in het juiste perspectief te zien. In ieder geval voor een deel.
Ze liet echter niets van deze gevoelens blijken en knikte alleen goedkeurend toen Elvira haar stralend op de hoogte stelde.
„Mooi, dan kan ik zeker wel hier op jouw kamer blijven wonen?" informeerde ze. „Of was je van plan om hier met Ray in te trekken?"
„Beetje klein," vond Elvira. „Trouwens, hij heeft een driekamerflat, dus huisvesting is geen probleem voor ons."
„Waarom trek je dan niet meteen bij hem in?" vroeg Alexandra verbaasd.
Tot haar opluchting schudde Elvira echter haar hoofd.
„Omdat ik dat niet romantisch vind," verklaarde ze. „Wij gaan het helemaal volgens de regels doen. Eerst trouwen en dan pas samenwonen. Dat vinden we allebei veel leuker."
„Opoe," plaagde Alexandra goedmoedig. In haar hart was ze dolblij dat Elvira niet meteen ging verhuizen, maar ze schrok toen ze de geplande datum hoorde. „Dan al? Dat duurt nog geen twee maanden."
„We willen het graag en we zijn volkomen zeker van elkaar, dus waarom niet?" was Elvira's eenvoudige antwoord.
„Je hebt wel heel weinig tijd om iets te organiseren."
Elvira woof die woorden luchtig weg. „Het wordt geen groot feest. We gaan met zijn tweetjes naar het stadhuis en dat was het dan. Misschien 's avonds nog een etentje of zo."

„Hè bah!" riep Alexandra vol afschuw uit. „Dat noem je toch geen trouwdag? Jakkie, wat ongezellig. Als je het op die manier doet, kun je net zo goed zo bij hem intrekken. Veel verschil zit daar niet in. Ga me niet wijsmaken dat je dit leuk vindt, El. Vroeger droomden en fantaseerden we urenlang over onze trouwdag, weet je nog? De jurk, het feest, een receptie, een romantische huwelijksreis, overal bloemen, een diner, noem maar op. Het enige dat er aan onze fantasieën ontbrak was een man," grinnikte ze.

Elvira's gezicht verstrakte. Dit soort dromen had ze inderdaad jarenlang gekoesterd, zoals zoveel meisjes, maar dat was vroeger. Nu had ze te maken met de realiteit. „Ik zie het niet zitten om onder de gegeven omstandigheden een grote bruiloft te geven," zei ze afwerend. „Pa wil ik er helemaal niet bij hebben, met ma heb ik al een hele tijd geen contact en onze verdere familie zien we nooit. Veel vrienden heb ik ook niet en met mijn collega's ga ik niet zo goed om dat ik daar honderden euro's aan uit wil geven om ze te voederen op mijn trouwdag."

„Je weet dat mama jou niets verwijt. Eén woord van jou en alles is weer goed," zei Alexandra zacht. „Ze zal het heerlijk vinden als ze uitgenodigd wordt, om nog maar te zwijgen van Timo en Bennie. Je bent hun grote zus, El, ze missen je. En mama mist je ook."

Elvira zweeg. Ze speelde de laatste tijd vaak met de gedachte om naar haar moeder toe te gaan, maar het was zo moeilijk. En iedere dag die ze wachtte, werd het zwaarder. Ze wilde het verleden zo graag vergeten, net doen of het niet bestond en of ze pas was begonnen te leven toen ze in deze kamer trok, maar ze was er intussen al achter dat dat niet mogelijk was. Ze zou het verleden altijd met zich mee blijven dragen, hoe dan ook. Het was niet uit te wissen, ze moest het alleen een plekje geven. Ze had zelf de keus in hoe ze ermee om wilde gaan, had Ray haar duidelijk gemaakt. Ze kon haar hele verdere leven slachtoffer blijven, of ze kon ervoor kiezen om de feiten te accepteren en van daaruit verder te gaan.

„Ik zie nog wel," zei ze vaag. „Hoe was jouw afspraakje met die Marcel eigenlijk?" Ze veranderde expres van onderwerp, omdat

ze niet te diep na wilde denken over alles wat haar zo nauw aan het hart lag. Ze was gelukkig nu, dat gevoel wilde ze vasthouden.
Alexandra trok onwillig met haar schouders. „Viel tegen."
„En toch ben je bij hem gebleven vannacht?"
„Het hoeft toch niet persé te klikken met iemand om goede seks te hebben?" zei Alexandra stoer, maar haar ogen stonden verdrietig.
„Doe niet zo onverschillig, dat past helemaal niet bij je," wees Elvira haar terecht. „Trouwens, aan je gezicht te zien voel je je helemaal niet happy. Ik begrijp je niet. Je bent nog geen achttien, je zou moeten genieten van deze tijd. Op stap gaan met vriendinnen, lol maken, dansen, van alles. In plaats daarvan ben je alleen maar met jongens bezig en verslijt je het ene vriendje na het andere, omdat je nog niet in staat bent jezelf op een goede manier te binden. Je gaat wel met ze naar bed, maar een normale relatie zit er niet in."
„Dat moet ik toch zelf weten?" snauwde Alexandra in het nauw gebracht. Voor geen prijs wilde ze Elvira deelgenoot maken van haar diepste gevoelens. Ze begreep ze trouwens zelf niet eens. Het hele leven was één grote warboel.
De telefoon begon te rinkelen en Elvira nam op. Aan haar stralende gezicht, kon Alexandra zien dat het Ray moest zijn. Plotseling voelde ze zich overbodig en bruusk stond ze op.
„Ik ga even naar een schoolvriendin," kondigde ze aan. Voor Elvira iets kon zeggen, rende ze de trappen al af.
Buiten liep ze doelloos door de straten, met haar hoofd gebogen en haar handen diep in de zakken van haar jas gestoken. Haar hoofd bonkte en haar gedachten waren een chaos. Die dag was een ramp geweest op school, iets dat ze Elvira niet wilde vertellen. Die ochtend had Marcel haar amper bekeken en eenmaal op school was hij meteen op zijn vrienden afgestapt. Aan de blikken die haar toegeworpen werden, had ze gemerkt dat Marcel over haar gekletst had. Diezelfde middag waren er twee jongens naar haar toegekomen met het verzoek een avond met hen uit te gaan. Ze had ze vriendelijk afgewimpeld, iets dat haar niet in dank afgenomen werd.

„Ben ik soms te min voor je?" had één van hen dreigend gevraagd.
De rest van de dag was ellendig verlopen. De jongens maakten dubbelzinnige opmerkingen en lachten haar uit, de meisjes negeerden haar. Haar enige vriendin in de klas had Alexandra ronduit verteld dat er over haar geroddeld werd. „Ze noemen je een slet," voegde ze daar fijntjes aan toe. In de pauzes had Alexandra alleen gestaan, maar ze had de blikken heel goed gevoeld.
Marcel had haar alleen mee uit genomen omdat hij met haar naar bed wilde, begreep ze inmiddels wel. Hij had haar gebruikt om zijn eigen populariteit in de klas te verhogen en het interesseerde hem niets hoe zij zich voelde. Het was niet eerlijk. Hij werd geprezen om zijn gedrag en iedereen vond hem stoer, terwijl zij uitgekost werd omdat ze hetzelfde had gedaan, alleen omdat zij een meisje was. Jongens vonden haar na Marcels verhalen een makkelijke prooi, de meisjes noemden haar een afgelikte boterham en negeerden haar.
Alexandra voelde zich diep ellendig. Ze had nog een paar jaar school voor de boeg voordat ze afgestudeerd was, als het al die tijd zo zou gaan, hoefde het voor haar niet meer. Dan gaf ze haar studie er net zo lief aan en ging ze ergens in een winkel werken of zo.
Ongemerkt was ze in de buurt beland waar haar moeder woonde en Alexandra besloot even bij haar langs te gaan. Een beetje afleiding kon ze wel gebruiken. Ze had nu geen zin om van Elvira de gelukkige verhalen over Ray aan te horen. Ze gunde haar zus het geluk van harte, maar nu ze zich zelf zo miserabel voelde, wilde ze daar niet voortdurend getuige van zijn.
Ze sloeg de hoek om, de straat in waar Amanda woonde. Het licht brandde en de gordijnen waren open, zag ze. Ze stak haar hand al omhoog om aan te bellen, toen ze getroffen werd door het tafereeltje in de huiskamer. Amanda zat op de bank, met haar voeten onder haar getrokken, volkomen op haar gemak. Tegenover haar zat haar buurman. Glenn, heette hij, herinnerde Alexandra zich. Hoewel ze een stuk van elkaar afzaten, straalden ze toch intimiteit uit. Deze twee mensen hadden

het duidelijk gezellig met elkaar. Alexandra zag de glimlach die haar moeder naar Glenn wierp en ze registreerde hoe hij even voorover boog en een haarlok van haar voorhoofd wegstreek.
Ze rilde. De behoefte om haar moeder te spreken was ineens weg. Weer voelde ze zich overbodig, net als daarnet bij Elvira. Niemand had haar nodig, ze hing er maar zo'n beetje bij. Een los aanhangsel, dacht ze bitter.
Met haar ziel onder haar arm slenterde ze verder, eenzaam en bitter. Ze moest de zaken anders aan gaan pakken, realiseerde ze zich. Op deze manier maakte ze een puinhoop van haar leven. Ze was nog geen achttien, maar ze voelde zich nu al een oude, verbitterde vrouw.

Dankzij de rust die ze nu kon nemen, knapte Amanda snel op. Haar lichaam was uitgerust en haar geest kon het leven weer aan. Ze had niet langer het gevoel dat ze voortdurend achter de feiten aan moest rennen en plande haar dagen wat beter in. Haar huis was weer schoon en opgeruimd, de avondmaaltijd werd weer gezellig en Timo en Bennie maakten minder ruzie met elkaar nu de sfeer beter werd. Het nieuwe leven begon te wennen.
Na een afwezigheid van twee weken ging Amanda weer aan het werk en ze merkte dat het haar nu een stuk beter afging. Die twee weken rust had ze even heel hard nodig gehad, dat was wel duidelijk. Niet dat alles nu plotseling vlekkeloos en zonder problemen verliep, maar dat opgejaagde gevoel dat voortdurend bezit van haar nam, was weg.
Ze kreeg zelfs weer plezier in haar baan en trok niet, zoals de laatste tijd steeds vaker voorkwam, 's ochtends de deur met tegenzin achter zich in het slot. Het contact met zowel haar collega's als de klanten deed haar goed en het gaf haar voldoening als ze een onzekere of lastige klant naar tevredenheid wist te adviseren. Kortom, het ging goed met Amanda. De ellendige periode kwam steeds verder achter haar te liggen en hoewel ze nog steeds verdriet had over alles wat er gebeurd was, had ze haar leven weer aardig op de rails.

„Dankzij jou," zei ze op een avond dankbaar tegen Glenn.
„Je hebt het helemaal zelf gedaan," reageerde hij kalm.
Amanda schudde haar hoofd. „Nee, dat is niet waar. Jij was er op het moment dat ik heel hard iemand nodig had. Zonder jouw hulp had ik die rust niet kunnen nemen en was het van kwaad tot erger gegaan. Dit weekend zijn de kinderen bij Rudi en dan wil ik je graag mee uit eten nemen om je te bedanken."
„Hoewel dat absoluut niet nodig is, je weet dat ik het graag heb gedaan, zeg ik natuurlijk geen nee tegen een etentje," lachte hij.
Zoals steeds vaker voorkwam, bracht hij de avond door bij Amanda thuis, iets dat zij alleen maar gezellig vond. Als het haar niet uitkwam of wanneer ze geen behoefte had aan gezelschap, kon ze dat gewoon tegen hem zeggen, wist ze. Tot nu toe was dat echter nog niet gebeurd. Glenns aanwezigheid voelde ook niet aan als visite, waarbij ze verplicht gezellig moest doen. Als ze bezig was met schoonmaken als hij binnen kwam, ging ze daar gewoon mee verder. Glenn schonk dan vast koffie voor hen in of hij hielp haar simpelweg mee met soppen of stofzuigen.
Als er een tv programma was dat Amanda wilde volgen, hield hij zijn mond dicht en pakte hij een boek of een tijdschrift. Zo langzamerhand leek het erop alsof ze samenwoonden, behalve dan dat hij aan het eind van de avond braaf naar zijn eigen huis ging. Het was gezellig en huiselijk, zo samen. Amanda maakte zich er niet druk om of dit een normale situatie was en evenmin trok ze zich iets aan van het geroddel in de buurt. Ze waren als vanzelfsprekend in een soort patroon beland en dat beviel goed.
Timo en Bennie konden goed met Glenn overweg. Vooral bij Timo kon hij niet meer stuk sinds hij hem af en toe om drie uur uit school haalde, zodat hij niet naar de naschoolse opvang toe hoefde.
„Dat is het voordeel van mijn werk, het is net zo flexibel als ik zelf wil," had hij gezegd toen Amanda zich bezorgd afvroeg of dat niet te lastig voor hem was. „Wat ik 's middags aan tijd te kort kom, haal ik 's avonds wel weer in."

Ze lachte hem hartelijk uit. „Wanneer 's avonds? Je zit constant hier," zei ze plagend.
Laconiek trok hij zijn schouders op. „Nou ja, dan werk ik wat minder, ook geen probleem. Ik heb de laatste jaren zoveel boeken en songteksten geschreven dat ik het best een tijdje wat rustiger aan kan doen. Jarenlang heb ik genoten van mijn werkzaamheden, nu geniet ik van rust en gezelligheid." Hij knikte haar daarbij hartelijk toe en Amanda voelde zich warm worden bij dat kleine gebaar.
Glenn was in korte tijd heel veel voor haar gaan betekenen, maar ze durfde nog geen enkele gedachte aan de toekomst te wijden. Nog geen jaar geleden was ze er vast van overtuigd geweest dat ze de rest van haar leven bij Rudi zou blijven. De wending die haar leven zo plotseling genomen had, had ze nooit kunnen voorzien. Het ging ineens zo snel allemaal, de veranderingen volgden elkaar in een rap tempo op. Glenn was momenteel niet meer dan een rustpunt voor haar, iemand bij wie ze volledig zichzelf kon zijn, waar ze haar hart bij kon uitstorten en die haar hielp op momenten dat het nodig was. Op zijn beurt verklaarde Glenn dat Amanda juist degene was die hem hielp. Zij had hem uit de eenzaamheid gehaald die zijn leven sinds het overlijden van zijn vrouw kenmerkte. Door haar en de kinderen was hij zich weer nuttig gaan voelen en was de huiselijke gezelligheid teruggekeerd in zijn leven.
„Dus eigenlijk zijn we gewoon een stel drenkelingen die zich aan elkaar vastklampen," zei Amanda na een opmerking van hem daarover.
Hij schudde echter beslist zijn hoofd. „Nee, we zijn door het lot bij elkaar gebracht," beweerde hij stellig. Hij keek haar daarbij diep in haar ogen. „Ik geloof niet in toevalligheid als het daarom gaat. Wij zijn elkaar tegengekomen op het moment dat we elkaar nodig hadden."
Amanda wendde verward haar blik af. Ze wist nooit goed wat ze op dergelijke uitspraken moest zeggen. Hij bracht haar daarmee in verwarring en al wist ze diep in haar hart heel goed waar dat door kwam, dat durfde ze niet toe te geven. De tijd was er nog niet rijp voor. Reageren op dit soort uitlatingen, of zelfs

maar zeggen dat hij gelijk had, zou kunnen leiden tot een volgende stap in hun relatie en daar was ze nog niet aan toe. Ze betwijfelde zelfs of ze daar ooit aan toe zou zijn.
Desondanks keek ze met een gevoel van opwinding uit naar de zaterdag waarop ze met zijn tweeën uit eten gingen. Als een verliefde tiener naar haar eerste afspraakje, dacht ze spottend bij zichzelf nadat ze een uitgebreide douche had genomen en ze twijfelde over wat ze aan zou trekken.
Haar keus viel uiteindelijk op een petrolkleurig broekpak met wijde pijpen en een asymmetrisch jasje. Daaronder droeg ze een felroze blouse, die de enigszins saaie kleur van het broekpak goed maakte. Zilveren sieraden, een subtiele make-up en schoenen en een tas in de kleur van haar pak, maakten haar outfit compleet.
Dat was het voordeel van haar jaren als echtgenote van een man met een uitstekende baan, dacht Amanda wrang terwijl ze zichzelf in haar grote passpiegel bekeek. Ze bezat bij ieder pak of iedere jurk wel een paar schoenen met bijpassende tas, een uitspatting die ze zich nu niet meer kon veroorloven. Maar geld maakte lang niet alles goed, daar was ze inmiddels wel achter. Voor al het geld van de wereld zou ze Rudi niet meer terug willen als haar man, al had ze dan bijna twintig gelukkige jaren met hem gedeeld. Wetende wat ze nu wist, walgde ze daar echter van.
Met succes duwde Amanda de gedachte aan Rudi en haar huwelijk met hem weg. Ze moest nu eenmaal opnieuw beginnen en daar hoorde ook vooruit kijken bij. De afgelopen zware periode had haar wel geleerd dat blijven hangen in het verleden niet bevorderlijk was en bovendien slecht voor haar gezondheid. Ze moest de zegeningen tellen van het leven dat ze nu had, zonder zelfmedelijden en zonder vergelijkingen met vroeger te maken.
Stipt op tijd kwam Glenn haar halen en even later arriveerden ze bij het theaterrestaurant, waar Amanda een tafel besproken had. Tijdens het eten werden ze vergast op diverse optredens van artiesten, die overigens ook de bediening voor hun rekening namen.

„Wat leuk is dit," zei Glenn waarderend. „Ik wist helemaal niet dat zoiets bestond."
„Ik ook niet," bekende Amanda. „Ik hoorde het vorige week toevallig van een collega, die heeft hier haar zilveren bruiloft gevierd. Het is weer eens iets anders dan een gewoon restaurant."
„Ik heb het in ieder geval enorm naar mijn zin." Glenn knikte haar even warm toe voor hij weer aandachtig luisterde naar de zanger op het podium. Hij zong niet alleen, maar deed er ook een hele act omheen en had al snel de lachers op zijn hand.
Amanda had meer oog voor Glenn dan voor de man op het toneel. Als gebiologeerd registreerde ze zijn reacties. Ze zag hoe hij hartelijk lachte bij een grappig stukje, knikte van herkenning tijdens een anekdote en luid applaudisseerde bij een scherpe analyse van de hedendaagse politiek.
„Die man is echt goed," complimenteerde Glenn nadat de artiest het podium had verlaten. „Vind je ook niet?"
„Hè, wat?" Amanda schrok op uit haar gedachten bij deze vraag. „Sorry, ik was er even niet helemaal bij."
„Dan heb je heel wat gemist," vond Glenn.
Amanda glimlachte. „Nee hoor," zei ze, onbegrijpelijk voor Glenn.
Hij keek haar dan ook vragend aan, maar ze wendde blozend haar gezicht af en begon over iets anders.
Het werd een geslaagde avond. Niet alleen de acts op het podium, maar ook het eten was voortreffelijk. Nadat de koffie met likeur geserveerd was, dimden de lichten tot het romantisch schemerig in de zaal was. Alleen de piano op het toneel werd fel verlicht door een gekleurde spot. De pianist wachtte tot het stil was in de zaal en greep toen de microfoon.
„Zijn er vanavond verliefde stelletjes aanwezig?" vroeg hij aan het publiek.
„Ja, hier!" Voor Amanda het besefte was Glenn opgestaan en wees hij op zichzelf en op haar.
„Dan is dit laatste nummer speciaal voor jullie."
De man nam plaats achter de piano en zette een rustig liefdesliedje in. Met bezieling zong hij over het bijzondere gevoel dat

liefde met zich meebracht, hoe moeilijk het was om die gevoelens in stand te houden tijdens de dagelijkse realiteit en hoe mooi het was als dat toch lukte.
„Ik hoop dat jullie dat voor elkaar krijgen. Heel veel geluk gewenst," zei hij na afloop van het nummer tegen Glenn, voor het applaus losbarstte.
Amanda durfde amper om zich heen te kijken, ze had het gevoel alsof de hele zaal hen aanstaarde toen iedereen het restaurant verliet.
„Waarom deed je dat nou?" vroeg ze, eenmaal buiten uit de menigte, verwijtend.
„Het moet toch niet als een verrassing voor je gekomen zijn. Amanda, ik hou van je, dat moet je gevoeld hebben," zei Glenn rustig.
„Daar gaat het niet om. Waarom doe je zoiets, in een volle zaal? Ik schaamde me dood," zei ze narrig.
„Waarom?" Ze waren inmiddels ingestapt en hij keek haar van opzij aan. „Omdat ik een gekleurde huid heb? Schaam je je om met een buitenlander gezien te worden?"
„Natuurlijk niet." Nu werd ze echt boos, want die gedachte was nog geen seconde bij haar opgekomen. „Ik ben nog maar amper gescheiden." Die opmerking sloeg nergens op en dat wist ze, maar het was het eerste dat in haar opkwam.
„Ik vraag je toch niet direct ten huwelijk?" zei Glenn nuchter.
Plotseling begon Amanda te lachen. „We lijken anders wel een oud, getrouwd stel zoals we zitten te kibbelen. Sorry, ik bedoelde het niet lelijk. Het is alleen..."
„Ik overviel je ermee," begreep Glenn.
„Nogal, ja. Natuurlijk heb ik het gevoeld, maar ik ben er nog niet aan toe," zei Amanda ernstig.
„Waar ben je niet aan toe?"
„Nou, aan een relatie, aan liefde, aan alles."
„Aan seks," zei Glenn zonder gêne.
Amanda bloosde. Dat was precies wat ze bedoelde, maar dat durfde ze niet te zeggen. Ze genoot van de kriebels in haar buik en van het gevoel dat Glenn bij haar losmaakte, maar verder dan dat durfde ze niet te gaan.

Glenn pakte haar hand vast. Ze waren nu nog de enige auto op de verder lege parkeerplaats, maar daar scheen hij zich niets van aan te trekken. Hij maakte in ieder geval nog geen aanstalten om te starten.
„Amanda, ik hou van je, dat is alles wat telt. We hoeven niet direct uitgebreide toekomstplannen te maken of onmiddellijk het bed in te duiken. We hebben het goed samen zoals het nu loopt, die volgende stap komt vanzelf. We gaan niets forceren en laten het rustig groeien. Mijn uitspraken verplichten je tot niets. Ik kan wachten, jarenlang als het moet, maar ik denk niet dat dat nodig is. Jij houdt ook van mij, of vergis ik me nu heel erg?"
Amanda kon niet anders doen dan haar hoofd schudden. Haar hart stroomde over van liefde voor deze man, maar hoewel haar lichaam heftig op hem reageerde, was het toch net of ze geblokkeerd was.
„Ik hou van je, maar ik verlang niet naar je," probeerde ze haar gevoelens schor onder woorden te brengen. „Niet zoals dat hoort wanneer je net verliefd bent. Ik kan me er niet aan over geven, Glenn."
„Dat verwacht ik ook niet van je. Je hebt een enorm moeilijke tijd achter de rug met een scheiding die indirect gerelateerd is aan seks, dus het is helemaal niet vreemd dat dat je nu tegenstaat. Geef het de tijd zonder dat je het jezelf probeert af te dwingen, want dat werkt niet," zei Glenn. Nu startte hij de wagen wel en terwijl hij langzaam het parkeerterrein afreed, voegde hij eraan toe: „De toekomst is voor ons samen, daar ben ik van overtuigd."
Zijn stem klonk vol vertrouwen, een vertrouwen dat oversloeg op Amanda. Een licht, zweverig gevoel nam bezit van haar en haar ogen begonnen te stralen. Ondanks de remmingen in haar lichaam, was het lang geleden dat ze zich zo gelukkig had gevoeld.
Terwijl Glenn de auto door de donkere straten manoeuvreerde, legde Amanda aarzelend een hand op zijn been. Hij beantwoordde dat gebaar met een glimlach en een knipoog, maar zei er niets van, waar Amanda dankbaar voor was. Dit kleine

gebaar was al een hele overwinning voor haar en een verkeerde reactie van Glenn zou haar onmiddellijk weer drie stappen achteruit zetten. Hij leek haar echter volkomen te begrijpen.

HOOFDSTUK 14

De geplande trouwdag van Elvira en Ray naderde met rasse schreden. Elvira liep met stralende ogen door het verzorgingstehuis heen en vertelde iedereen hoe gelukkig ze was, maar niemand wist hoe ze zich echt voelde. Diep in haar hart worstelde ze met de gang van zaken. Ze hield van Ray en wilde niets liever dan met hem trouwen, maar de manier waarop stond haar tegen.

De afspraak was dat ze 's morgens vroeg met zijn tweeën naar het stadhuis zouden gaan voor de voltrekking van het huwelijk, zonder familie of vrienden erbij en dat was het dan wel. 's Avonds zouden ze uit eten gaan, maar dat deden ze wel vaker, dus dat was niet bijzonder. Ze kon het nu echter niet meer maken om terug te krabbelen en alsnog een grote bruiloft te organiseren, vond ze. Wel speelde ze steeds vaker met de gedachte om naar haar moeder toe te gaan en haar uit te nodigen voor het etentje.

„Met jouw oma erbij plus Alexandra, Timo, Bennie en mijn moeder hebben we toch een soort feestje," zei ze tegen Ray.

„Als jij het zo wilt, doen we het zo," vond Ray. „Ik wil dat je een prettige dag hebt, schat, op welke manier dan ook."

„Met zijn tweeën vind ik ook prima, maar een beetje gezelschap op zo'n dag kan geen kwaad. Al is het maar zodat we dan iemand hebben om foto's te maken," zei Elvira opgewekt.

Ze wilde opstaan om iets te drinken in te schenken, maar Ray hield haar tegen. „Weet je het zeker?" vroeg hij ernstig. „Als je liever een uitgebreide trouwdag wilt, kunnen we dat ook regelen. Het is de bedoeling dat je maar één keer trouwt, dus het moet gaan zoals jij wilt. Je kunt je nu nog bedenken."

Even kwam Elvira in de verleiding om toe te geven, maar een blik in zijn warme ogen weerhield haar daarvan. Ray hield helemaal niet van dat verplichte gedoe, wist ze. Ze moest niet zo zeuren. Het belangrijkste was dat ze voortaan samen hun leven zouden delen en niet de manier waarop dat leven ging beginnen. Spontaan sloeg ze haar armen om zijn hals.

„Nee hoor, dan moeten we alles uitstellen en dat wil ik niet. We trouwen gewoon op de geplande dag, over twee weken. Ik kan niet wachten tot het zover is."

Op dat moment meende ze die woorden oprecht, maar later, toen hij naar zijn eigen huis ging en ze alleen was, begon ze toch weer te twijfelen. In haar tienerdromen was het zo anders geweest. Maar in haar tienerdromen was geen plek voor realiteit geweest. In haar fantasieën was ze bijvoorbeeld ook het gangpad van de kerk afgelopen aan de arm van haar vader en dat was toch echt iets waar ze nu niet aan moest denken. Haar vader was in ieder geval iemand die ze absoluut niet op haar trouwdag wilde zien, dat was zeker, dus waarom zou ze de rest van die dromen wel na willen streven? Het liep toch altijd anders dan je verwachtte.

In ieder geval zou ze de rest van haar familie wel uitnodigen voor het etentje en daar zag ze toch wel naar uit. Nu de gemoederen enigszins bedaard waren en ze zo gelukkig was, verlangde ze ernaar om het contact met haar moeder te herstellen en haar trouwdag was daar een goede aanleiding voor. Ze had nu tenminste geen excuus meer om een ontmoeting uit te stellen.

De dag erna, Elvira's vrije dag, liep ze langzaam door het winkelcentrum, op weg naar het warenhuis waar Amanda werkte. Elvira durfde het nog niet aan om haar moeder thuis op te zoeken, bang als ze was dat dat tot emotionele taferelen zou leiden. Het leek haar niets om elkaar snikkend om de hals te vallen, zoals tegenwoordig vaak op tv gebeurde, dus had ze besloten om de eerste ontmoeting op neutraal terrein plaats te laten vinden. Net alsof het niet gepland was, maar ze elkaar toevallig tegenkwamen.

Op de boekenafdeling zocht ze de gezichten van de verkoopsters af, maar Amanda was daar niet bij. Zou ze nu net vandaag een vrije dag hebben, vroeg Elvira zich af. Toen herinnerde ze zich dat Alexandra had gezegd dat hun moeder tegenwoordig op diverse afdelingen werkte. De moed zakte haar even in de schoenen. Het warenhuis was behoorlijk groot en ze had weinig zin om afdeling voor afdeling af te moeten struinen. Ze draaide zich om op haar hakken en keek daarbij recht in het gezicht van Amanda, die net met een stapel boeken in haar

armen de afdeling op kwam lopen. Haar hart bonsde luid nu ze haar moeder na zo'n lange tijd terugzag. Nu drong het pas echt tot haar door hoeveel ze haar gemist had. Haar eerste neiging was om naar haar toe te rennen en haar om de hals te vallen, juist datgene wat ze had willen vermijden. Elvira hield zich echter in, al was het dan met moeite. Dit was haar moeders werkplek, hield ze zichzelf voor. Ze kon het niet maken om hier een emotionele uitbarsting te krijgen.
Terwijl ze overdacht wat ze moest doen, hield ze haar blik strak op Amanda gericht en alsof die dat voelde, keek ze ineens op. Heel even hielden hun ogen elkaar gevangen. Tot Elvira's opluchting verscheen er een blijde trek op Amanda's gezicht, in plaats van de afwijzing die ze gevreesd had. Ze had zich voor niets zorgen gemaakt, want Amanda liet onmiddellijk haar werkzaamheden in de steek en liep met gestrekte armen op Elvira toe.
„Elvira, meisje van me. Wat heerlijk om jou te zien," zei ze ontroerd.
„Ach, ik was in de buurt," trachtte Elvira nonchalant te zeggen, alsof ze elkaar gisteren nog gesproken hadden en er geen maandenlange scheiding was geweest.
„Hoe is het met je? Alexandra vertelde me dat je trouwplannen hebt. Vertel, ik ben reuze nieuwsgierig naar mijn aanstaande schoonzoon. Ik wil alles weten."
„Nu?" Elvira keek om zich heen. „Je bent aan het werk."
Amanda wierp een snelle blik op haar horloge. „Het is nog wat aan de vroege kant voor een lunchpauze, maar dat geeft niet. Ik moet even melden dat ik een uurtje weg ben, dan gaan we boven in het restaurant wat drinken."
Gearmd, alsof dat heel vanzelfsprekend was en er nooit harde woorden tussen hen waren gevallen, stapten moeder en dochter even later in de lift naar het restaurant op de vijfde verdieping. Elvira voelde zich vreemd licht in haar hoofd. Ze was voorbereid geweest op een emotioneel gesprek, op verwijten en op een afwerende houding van haar moeder, maar niet op de duidelijke blijdschap en de kameraadschap die er plotseling tussen hen bestond. Of er nooit iets gebeurd was en ze dikke

vriendinnen waren. Toch voelde het niet vreemd, maar juist heel vertrouwd. Kwam dat omdat ze elkaar zo lang niet gezien hadden, of omdat de storende factor in hun leven, Rudi, niet langer tussen hen in stond? Elvira wist het antwoord niet, maar verdiepte zich daar ook niet in. Dat was nu even niet belangrijk, ze genoot alleen van het moment.
Bij het betreden van het restaurant kwam net Roel Verkerk aanlopen, de personeelschef. Hij keek Amanda met opgetrokken wenkbrauwen aan.
„Roel, mag ik je even voorstellen? Dit is Elvira, mijn dochter." Amanda straalde bij die woorden en Elvira werd warm bij het horen van de trotse klank in haar stem.
„Je dochter? Aha." Roels gezicht ontspande zich. Hij wist genoeg van Amanda's privé-leven af om te weten wat dit betekende. „Dus je neemt een vroege lunchpauze? Haast je maar niet, de afdeling kan best een paar uur zonder jou. Veel plezier, dames."
„Doe mij ook zo'n chef," wenste Elvira, hem nakijkend toen hij met grote passen verdween.
Amanda lachte helder. „Roel wordt door iedereen hier aanbeden, de verkoopsters lopen het vuur uit hun schoenen voor hem. Maar hij is het waard, het is een fijne man om voor te werken. Nou, kom op, we gaan aan de koffie. Of wil je liever warme chocolademelk?"
„Ja, met slagroom," bestelde Elvira.
Even later streken ze neer aan een leeg tafeltje bij het raam, tegenover elkaar. Heel even viel er een gespannen stilte tussen hen.
„Je ziet er goed uit," merkte Amanda toen op. „Je bent volwassen geworden."
„Ach ja, dat gaat vanzelf, als je het de tijd maar geeft." Gedachteloos roerde Elvira in haar beker. „Ben je niet boos op me?"
„Boos?" echode Amanda verbaasd. „Waarom zou ik boos op je moeten zijn?"
„Omdat ik al die tijd niets van me heb laten horen en jou in je eentje aan liet modderen met de scheiding en je verhuizing."

„Dat was mijn keuze en daar hoefde jij je niet verantwoordelijk voor te voelen. En wat de rest betreft, dat begreep ik wel. Je had tijd nodig om alles te verwerken en op een rijtje te zetten. Ik heb het je nooit kwalijk genomen, Elvira, maar ik ben wel dolblij dat je het nu zelf inziet en de moed hebt gevonden om naar me toe te komen. Ik heb je gemist."
„Ik jou ook," zei Elvira eenvoudig. Ze keken elkaar aan en glimlachten.
Nu haar moeder niet langer verbonden was aan de man die haar zoveel leed berokkend had, kon Elvira wel op een normale manier met haar omgaan, iets dat niet gelukt was toen ze nog in het ouderlijk huis woonde. In die tijd waren er voortdurend spanningen geweest omdat ze haar verweet niets te merken van alles wat zich afspeelde. Die spanning was nu weg. Amanda had openlijk partij voor haar dochters gekozen zonder Rudi's gedrag te vergoelijken, dus dat struikelblok was komen te vervallen. Niets stond een normale moeder-dochterrelatie meer in de weg, dat voelden ze allebei.
„Vertel me alles," verzocht Amanda. „Hoe bevalt het op je werk? Waar heb je Ray leren kennen? Wanneer trouwen jullie precies?"
„Over twaalf dagen," beantwoordde Elvira eerst de laatste vraag. „We doen er niet veel aan, alleen een etentje 's avonds. Eigenlijk kwam ik hierheen om je daarvoor uit te nodigen."
Amanda kleurde van plezier. Dit was iets waar ze niet op gerekend had. De wetenschap dat ze niet bij de bruiloft van haar oudste dochter aanwezig mocht zijn, had haar veel pijn gedaan.
„Daar ben ik blij om," zei ze dan ook warm.
„Het geldt ook voor de jongens. Ik verheug me erop om ze weer te zien."
„Je bent altijd welkom bij ons thuis, dat weet je. Ze missen jou trouwens ook, vooral Timo vraagt vaak naar je."
Elvira schoof een beetje ongemakkelijk heen en weer op haar stoel. „Wat geef je dan als verklaring tegen hem?"
„Dat je het druk hebt," was Amanda's simpele antwoord. „Kinderen accepteren zoiets nogal snel gelukkig, bovendien heeft hij nog niet echt besef van tijd. Kom maar gauw langs, dan

is hij snel vergeten dat hij je zolang niet heeft gezien."
„Weten ze eigenlijk... eh...?"
„Nee," zei Amanda rustig. „En dat wil ik graag zo houden. Ze zijn regelmatig bij je vader en ze hebben het daar naar hun zin, dat kan ik ze niet afpakken."
„Ben je nooit bang?" vroeg Elvira ronduit.
„Voortdurend." Amanda's antwoord kwam snel, zonder aarzelen. „Maar ik hou ze goed in de gaten en ben nu beducht op alle tekenen. Het spijt me dat ik dat vroeger bij jullie niet heb gedaan, Elvira. Ik had jullie heel wat leed kunnen besparen."
Elvira schudde haar hoofd. „Dat is niet waar, je had het in ieder geval niet kunnen voorkomen. Ik heb je heel lang verweten dat je de signalen niet zag, maar toen was het al te laat. Wat belangrijk is, is dat je onmiddellijk actie ondernam toen je het wist. Je koos direct voor ons, alleen zag ik dat in die tijd niet in. Ik vond de scheiding en alles wat je moest doormaken je verdiende straf."
„Misschien was dat ook wel zo. Ik heb gefaald als moeder, dat kan niemand me uit mijn hoofd praten. Alleen, wat eerst een straf was, bleek achteraf meer een beloning te zijn. Mijn leven is veranderd sinds de scheiding, maar het is zeker niet minder geworden. Ik merk nu dat ik best wel afhankelijk was van je vaders stemmingen en dat alles in ons gezin voornamelijk om hem draaide. Nu ben ik bezig mezelf te ontwikkelen en het geeft me een goed gevoel dat ik in staat ben voor mezelf en mijn kinderen te zorgen," zei Amanda bedachtzaam.
„Je bent dus eindelijk volwassen geworden," plaagde Elvira.
Amanda bleef echter serieus. „Ik denk dat je het inderdaad zo wel kunt stellen. Ik ben nu mezelf, in plaats van 'de vrouw van'. Het zal me ook nooit meer gebeuren dat ik me zo afhankelijk zal maken van een ander."
„Dus je bent helemaal over papa heen?"
De vraag bleef een tijdje tussen hen in hangen voor Amanda daar een eerlijk antwoord op gaf.
„Als dit allemaal niet gebeurd was, zou ik altijd bij hem gebleven zijn, maar achteraf denk ik dat ik niet op de goede manier van hem gehouden heb. We waren niet gelijkwaardig aan

elkaar, al heb ik dat nooit zo gevoeld. Nu zie ik de zaken echter anders. Een relatie, of een huwelijk, moet meer inhouden dan dat iemand de kost verdient en de ander de zorgtaken voor zijn rekening neemt, zeker als er geen waardering voor de laatste groep is. Op de één of andere manier stond je vader boven mij en was ik zijn volgeling. Dat is vanzelf zo gegroeid in de loop van de jaren en dan zie je dat zelf niet meer, maar ik heb het laatste jaar veel geleerd."
„Heb je dat in je eentje ontdekt of had je er een leermeester in?" informeerde Elvira half lachend. Amanda's vuurrode gezicht verraadde het antwoord al. „Je hebt een vriend!" riep Elvira dan ook uit.
„Niet zoals jij bedoelt," haastte Amanda zich uit te leggen. „Nog niet, tenminste. We geven heel veel om elkaar, maar we doen het rustig aan. We hebben de tijd, de hele toekomst ligt nog voor ons open."
Elvira trok een bedenkelijk gezicht en Amanda glimlachte. Als je net negentien was, leek drieënveertig natuurlijk behoorlijk oud, maar zij wist wel beter. Ze had absoluut niet het gevoel dat haar beste jaren voorbij waren en dat Glenn fungeerde als een soort tweede keus. Integendeel. Van Rudi had ze geleerd hoe het niet moest binnen een relatie en daar kon Glenn de vruchten van plukken.
„Weet papa dat?" wilde Elvira weten.
„Ja. Hij heeft er moeite mee, maar hij heeft zich er bij neergelegd dat het tussen ons helemaal over is, al doet hij af en toe nog een poging om de brokstukken te lijmen," zei Amanda rustig. „Dat hoofdstuk heb ik echter voorgoed afgesloten. Ik zal nooit loskomen van hem omdat we samen kinderen hebben, maar meer dan dat is er niet."
Elvira speelde met het bierviltje dat op tafel lag. Vreemd, maar deze verklaring van haar moeder gaf haar toch een vaag verdrietig gevoel. Onder deze omstandigheden zou ze het vreselijk vinden als haar moeder voor haar vader zou kiezen, toch was het niet prettig om te horen. Ooit hadden ze veel van elkaar gehouden, ze hadden twintig jaar lief en leed gedeeld en samen vier kinderen gekregen en uiteindelijk bleef daar helemaal

niets van over. Het was niet prettig om je zoiets te realiseren vlak voor je eigen bruiloft. Het gaf niet echt vertrouwen voor de toekomst.
Ze probeerde die negatieve gedachten van zich af te zetten. Ieder huwelijk was anders. Het feit dat haar ouders het samen niet gered hadden, wilde absoluut niets zeggen over Ray en haar. Ray was niet zoals haar vader. Hoopte ze. Ze schrok zelf van die laatste gedachte en praatte er snel overheen.
„Neem je nieuwe vriend mee naar onze bruiloft," stelde ze voor.
„Dat zal hij erg leuk vinden, maar kom dan voor die tijd een keertje kennis maken," bedong Amanda.
„Goed, dan kom ik samen met Ray," beloofde Elvira. „Wanneer is die man bij jou thuis?"
Amanda grinnikte. „Je kunt beter vragen wanneer hij er niet is. Hij gaat nog steeds aan het einde van de avond braaf naar zijn eigen huis, maar voor de rest zijn we voortdurend bij elkaar als we niet werken. Hij is zowat bij me ingetrokken. We delen alles, behalve het bed."
„Dat wordt dan hoog tijd volgens mij," giechelde Elvira. Haar moeders ogen straalden en het deed haar goed om haar zo gelukkig te zien na alles wat er het afgelopen jaar voorgevallen was. Het begon erop te lijken dat alles zich uiteindelijk toch nog ten goede keerde, voor hen allemaal.

Met Alexandra ging het echter helemaal niet goed. Ze lachte, leefde en deed stoer zoals altijd, maar inwendig lag ze compleet met zichzelf overhoop. Haar hart leek wel veranderd in een baksteen en haar ogen deden niet langer mee als haar mond lachte. Elvira merkte hier niets van, al woonden ze dan samen in één kamer. Die had het te druk met zichzelf en met Ray, dacht Alexandra bitter bij zichzelf. Ze was echter eerlijk genoeg om toe te geven dat ze alle mogelijke moeite deed om niets van haar eigen stemmingen te laten merken. Ze wilde niet dat andere mensen zich ermee gingen bemoeien, zelfs niet haar eigen familie. Ze moest er zelf uit zien te komen. Maar hoe?
Het leek wel of er de laatste tijd helemaal geen lichtpuntje meer in haar leven was. Op school stond ze alleen, Elvira ging bin-

nenkort verhuizen naar de flat van Ray en haar laatste kortstondige vriendje, ene Leo die ze ontmoet had tijdens een avondje stappen, had het ook alweer laten afweten nadat ze een nacht met hem in zijn kamer had doorgebracht. Dat leek ondertussen het verhaal van haar leven te worden. Veel vriendjes, maar even zo vaak afgedankt worden. En dat terwijl ze juist zo graag geborgenheid en veiligheid binnen een vaste relatie wilde dat ze er alles voor over had.
„Ik denk dat dat juist het probleem is," had haar enige vriendin Katja bedachtzaam opgemerkt nadat Alexandra daar een opmerking over had gemaakt. „Je wilt zo graag dat je alles doet voor zo'n jongen en daar knappen ze juist op af."
Diep in haar hart wist Alexandra dat Katja daar gelijk in had, maar ze wist niet hoe ze dat moest veranderen. Steeds opnieuw nam ze zich voor om zich wat afstandelijker op te stellen, maar zodra een jongen meer van haar wilde dan slechts een zoen gaf ze daar onmiddellijk aan toe, bang om hem anders kwijt te raken. Ze verlangde wanhopig naar iemand die er exclusief voor haar was, terwijl ze tegelijkertijd moeite had om zich te binden. Arjen, haar eerste serieuze vriend, was daar het levende bewijs van. Met hem had ze waar ze nu naar verlangde, maar haar eigen angst om binnen die relatie opgesloten te worden had ervoor gezorgd dat ze uit elkaar gegaan waren. Het was zo tegenstrijdig allemaal. Wist ze maar hoe ze die dingen om kon keren, kon ze maar leren hoe ze met haar eigen verwarde gevoelens om moest gaan. Misschien moest ze er toch eens serieus over nadenken om in therapie te gaan, iets dat Elvira vaker voorgesteld had. Wellicht had haar zus toch gelijk met haar bewering dat alles terug te voeren was naar het verleden. Elvira leek alles goed verwerkt te hebben, met behulp van Ray, maar zij, Alexandra, zat nog middenin dat proces, dat was wel duidelijk. Ze kon niet blijven ontkennen dat het gedrag van hun vader niets te maken had met de problemen waar ze nu steeds tegenaan liep.
Elvira was niet thuis terwijl Alexandra deze zaken overdacht en ze liep rusteloos van de ene kant van de kamer naar de andere. Binnenkort zou iedere avond er zo uitzien, drong het ineens

tot haar door. Dan zou Elvira hier niet meer wonen en was ze voortdurend op zichzelf aangewezen. Er moest echt iets veranderen, anders zou ze stapelgek worden.
Om iets te doen te hebben, pakte ze de stapel fotoalbums uit hun jeugd en bladerde ze langzaam door. Er waren veel foto's van haar en Elvira als baby en peuter. Toen ze zo klein waren werd Rudi nog niet volledig opgeslokt door zijn werk en bracht hij veel tijd door met het fotograferen van zijn kinderen, later werd dat minder.
Alexandra sloeg een bladzij om en verstarde. Vanaf het papier lachten Rudi, Amanda, Elvira en zijzelf haar toe. Dit was één van de weinige foto's waar Rudi zelf op stond en hij was gemaakt vlak voor Amanda in verwachting raakte van Timo. En dus ook vlak voor Rudi dingen begon te doen met zijn dochters die hij nooit had mogen doen. Zonder dat ze het tegen kon houden rolden de tranen over Alexandra's wangen. Vanaf het moment dat ze het ouderlijk huis verlaten had, had ze gedacht dat het verleden geen invloed op haar had en dat ze er geen last meer van zou ondervinden zolang ze haar vader niet zag, nu werd het haar in één klap duidelijk hoe naïef die gedachte was. Ze haatte de man die haar vanaf het papier aankeek, tegelijkertijd hield ze van hem. Hij was haar vader, de man waar ze als klein meisje een onbegrensd vertrouwen in had gehad. De man waar ze tegenaan kroop als ze zich niet lekker voelde. De man die haar had leren fietsen en die haar troostte als ze gevallen was. De man die haar had aangemoedigd tijdens het afzwemmen voor haar diploma en die supertrots was geweest toen ze daar voor slaagde.
Maar tevens was hij de man die haar betast had op intieme plekken en die vieze spelletjes met haar en haar zus had gespeeld. De man die haar voortijdig haar jeugdige vertrouwen in de mensheid had afgenomen. De man die er zelf voor gezorgd had dat ze bang voor hem werd, ondanks al het goede dat ze in haar vroegste jaren van hem had gehad.
Alexandra rilde. Als ze dit allemaal op een rijtje zette was het helemaal niet zo vreemd dat haar leven van tegenstrijdigheden aan elkaar hing. Vanaf haar tiende was het tenslotte nooit

anders geweest. Het werd tijd dat ze dat ging accepteren en dat ze haar leven in eigen hand ging nemen, zonder willoos te doen wat mannen van haar verlangden.
En het werd tijd voor een gesprek met haar vader. Niet dat dat iets op zou lossen of aan de feiten zou veranderen, maar ze wilde met hem praten. Ze wilde bevestiging van haar gevoelens, misschien zou dat haar op weg helpen.

HOOFDSTUK 15

„Nog drie dagen, dan ben je de bruid," fluisterde Ray in Elvira's oor. Het was de middag van de verjaardag van Ray's oma en het was een drukte van belang in het zaaltje dat altijd voor dit soort gelegenheden gebruikt werd. Mevrouw Evers straalde temidden van haar vrienden en kennissen uit vervlogen tijden. „En als je maar half zo straalt als mijn oma nu doet, ben ik al de meest trotse bruidegom die er maar kan bestaan," voegde Ray dan ook aan zijn woorden toe.
Elvira glimlachte naar hem. „Ze heeft de dag van haar leven," zei ze, expres niet ingaand op de bruiloft.
„Juist. En over drie dagen is het onze beurt. Dan beleven wij de dag van ons leven," zei Ray tevreden.
Zijn aandacht werd in beslag genomen door zijn vroegere buurman en Elvira liep door om de schaal met hapjes aan de bezoekers te presenteren. Ze wist zelf niet waarom, maar hun op handen zijnde bruiloft benauwde haar. Steeds als Ray erover begon, en dat was vaak, voelde ze zich kriegelig worden. Ze zou blij zijn als die dag om was en ze weer gewoon verder konden leven. Aan Ray lag het niet, dat was zo'n schat. Nog steeds sprong haar hart verliefd op als ze hem zag en ze verlangde ernaar om haar leven met hem te delen, toch zag ze tegen haar trouwdag op.
„Wat is het gezellig, hè kind?" zei mevrouw Evers toen Elvira bij haar stil bleef staan en haar de schaal warme hapjes voorhield.
„Zeker. Geniet u een beetje?" vroeg Elvira hartelijk.
„Meer dan dat. Ik vind het zo ontzettend lief van jullie dat jullie dit geregeld hebben. Een mooiere vijfenzeventigste verjaardag had ik niet kunnen hebben."
„Het is u gegund. We hebben het met liefde gedaan, vooral Ray. Hij is namelijk nogal gek op u," zei Elvira met een knipoog.
„Dat is dan volkomen wederzijds. Ray is een heerlijke knul en ik ben blij dat hij jou ontmoet heeft. Tenslotte heb ik ook het eeuwige leven niet, het geeft een gerust gevoel om te weten dat hij niet alleen staat als er iets met mij gebeurt. Jullie zijn zo'n leuk stel samen."

„O, ben jij nou de vriendin van Ray?" mengde een andere vrouw zich in het gesprek. „Ik heb al zoveel over je gehoord deze middag. Jullie gaan over een paar dagen trouwen, begreep ik. Wat leuk! Wordt het een groot feest?"
„Nee, we houden het klein," antwoordde Elvira met moeite. Verdraaid, was er nou echt geen ander gespreksonderwerp meer mogelijk dan haar bruiloft? Alexandra kon de laatste dagen ook al nergens anders over praten, om nog maar te zwijgen van Ray. Elvira was iedere dag blij als ze naar haar werk kon, waar het tenminste geen hot item was, maar vandaag ging dat zelfs hier dus niet op. „Neemt u me niet kwalijk, maar ik moet verder, anders worden de bitterballen koud," verontschuldigde ze zich.
„Leuk hè, al die belangstelling voor ons," zei Ray even later.
„Ik vind het meer ongezonde nieuwsgierigheid," bromde Elvira terug. Ze streek met een vermoeid gebaar over haar voorhoofd. Ray mocht het dan leuk vinden dat de mensen hem overstelpten met vragen, zij werd er doodmoe van om iedere keer hetzelfde te vertellen.
Hij keek haar onderzoekend aan. „Ik zou bijna gaan denken dat je het niet leuk vindt om te trouwen," zei hij luchtig, maar met een gespannen ondertoon in zijn stem.
Elvira zag de onzekere blik in zijn ogen en haastte zich om haar scherpe woorden wat te verzachten. „Ik denk dat het komt omdat ik deze mensen niet ken. Voor jou zijn het oude bekenden, dus is het logisch dat ze belangstelling tonen, voor mij zijn het wildvreemden. Iemand die ik gewoon op straat ontmoet, ga ik ook niet uitgebreid over mijn trouwdag vertellen."
Tot haar opluchting begon hij alweer te lachen, maar diep in haar hart voelde ze zich een huichelaarster.
Die hele trouwdag kon haar gestolen worden, dacht ze die avond somber toen ze thuis was. Ze had tegen Ray gezegd dat ze moe was en op tijd naar bed wilde, dus hij was al vroeg weggegaan. Alexandra had een bijbaantje gevonden als serveerster in een eetcafé en moest die avond werken, zodat Elvira alleen was. Ze zette een pot thee voor zichzelf en staarde lusteloos voor zich uit.

Wat bezielde haar toch? Ze had al weken last van zo'n onbestemd gevoel en dat terwijl ze juist de gelukkigste vrouw op aarde zou moeten zijn op dit moment. Ze had haar levenspartner gevonden en stond op het punt van trouwen met hem, het contact met haar moeder was hersteld, ze had een baan waar ze iedere dag met plezier naar toeging, er was geen enkele reden om zich niet prettig te voelen. En toch zaten de tranen hoog, had ze de neiging om iedereen af te snauwen voor niets en voelde ze zich leeg en ongelukkig. Was dat nou alleen omdat haar trouwdag niet de gedroomde sprookjesdag zou worden die ze jarenlang voor ogen had gehad? Waarschijnlijk wel, maakte ze zichzelf wijs. Ze hield ontzettend veel van Ray, dus daar kon het niet aan liggen, maar als ze toch niet de dag kreeg die ze wilde, hoefde het voor haar eigenlijk helemaal niet. Op deze manier werd trouwen slechts een formaliteit in plaats van een feest en formaliteiten waren nu eenmaal niet iets om reikhalzend naar uit te kijken. Als het trouwen zelf maar eenmaal achter de rug was en ze zich de wettige vrouw van Ray Hoogduin mocht noemen, dan kwam alles wel weer goed, hield Elvira zichzelf voor. Maar één ding wist ze wel: hun koperen bruiloft, over twaalfeneenhalf jaar, zou een gigantisch feest worden, met alles erop en eraan!
Deze gedachte hielp haar de laatste dagen voor haar trouwdag door. Tot haar eigen verbazing sliep ze de laatste nacht diep en droomloos. Alexandra logeerde bij hun moeder, omdat die vond dat Elvira alleen moest zijn als Ray haar kwam halen om naar het stadhuis te gaan. Om half negen zou Ray haar komen halen, om kwart over zes werd Elvira wakker. Vandaag was het dus zover, haar trouwdag. Ze haalde een paar keer diep adem om het paniekgevoel dat haar dreigde te overvallen, de baas te blijven. Ze kon zelf niet verklaren waarom ze zich zo beroerd voelde. Eigenlijk was ze te rusteloos om te blijven liggen, maar de gedachte aan twee uur lang doelloos rondlopen in haar kleine zolderkamer, deed haar besluiten toch nog even in bed te blijven. Ze hoefde niks anders te doen dan douchen en aankleden, dus daar zou ze zo klaar mee zijn. Eten hoefde ze niet, alleen de gedachte daaraan maakte haar al misselijk. Het over-

grote deel van haar spullen had al een plekje gevonden in de flat van Ray, er stond nog slechts één koffer voor haar laatste persoonlijke bezittingen die meegenomen moest worden. En dan haar trouwjurk natuurlijk. Elvira keek naar de jurk die aan een hangertje aan haar kast hing. Het was een lichtblauwe jurk, gemaakt van een soepel vallende stof. Hij was mooi en stond haar heel goed, dat wist ze, maar de naam 'trouwjurk' was er toch niet echt op van toepassing. Een trouwjurk hoorde wit en lang te zijn, met een wijde rok en pareltjes erop gestikt. De tranen sprongen in haar ogen bij dit beeld en driftig veegde ze ze weg. Ze moest zich niet zo aanstellen, sprak ze zichzelf in gedachten streng toe. Wat maakte het in vredesnaam uit hoe hun trouwdag eruit zag? Als ze maar samen waren, daar ging het om. Ze trouwde toch niet alleen met Ray om te kunnen pronken in een witte jurk?
Ze sloot haar ogen en dwong zichzelf aan hun leven samen te denken. Vanaf nu zou ze iedere ochtend naast Ray wakker worden, iets dat haar een warm gevoel gaf. Daardoor aangemoedigd droomde ze verder. Ze zag haar en Ray, het echtpaar Hoogduin, samen verre vakantiereizen maken, volop van elkaars gezelschap genietend. Ook zouden ze ooit een huis kopen. Een echt huis met een tuin eromheen, in plaats van de flat waar ze nu gingen wonen. In gedachten zag Elvira al voor zich hoe dat toekomstige huis eruit moest zien, zowel van buiten als van binnen. Het moest een echt thuis worden voor hen en hun kinderen.
Kinderen! Bij dat beeld schoot ze geschrokken overeind. De paniek die al eerder had gedreigd bezit van haar te nemen, kon ze nu niet meer tegenhouden. Zwaar ademend en met het gevoel te zullen stikken, probeerde ze tevergeefs haar tollende gedachten stop te zetten. Stel je voor dat ze een dochter zouden krijgen en Ray zou hetzelfde met haar doen als haar vader had gedaan? Te goed herinnerde ze zich nog haar angst en verwarring in die periode. Ook al had het maar kort geduurd, het was daarna onmogelijk geworden om een normale, vertrouwelijke relatie met Rudi op te bouwen terwijl ze eigenlijk niets liever wilde. Ze had tijdens haar puberteit hevig verlangd naar een

vader waar ze tegenaan kon leunen, iemand waar ze bij terechtkon, iemand die haar beschermde tegen de vaak angstige en onveilige buitenwereld. In plaats daarvan had ze met een man in één huis gewoond die ze niet eens recht in de ogen durfde te kijken. Iemand die haar hartkloppingen van angst bezorgde als hij te dicht bij haar in de buurt stond. Een man van wie ze hield en loyaal tegen was, maar van wie ze tegelijkertijd walgde omdat hij dingen deed die absoluut niet door de beugel konden. Haar vader, de alom gerespecteerde bedrijfsjurist, maar tevens de man die haar het basisgevoel van veiligheid, waar ieder kind recht op had, had ontnomen.
Elvira voelde zich zo beroerd dat ze de zaken niet helder en realistisch meer kon bekijken. Haar angst was té groot. Ze hield van Ray, maar ze had geen enkele garantie dat hij niet hetzelfde zou gaan doen als wat Rudi gedaan had. Wat kende ze hem tenslotte helemaal? En van Rudi had ook niemand verwacht dat hij zoiets zou doen, zelfs haar moeder niet. Die was twintig jaar met hem getrouwd geweest toen ze erachter kwam. Elvira rilde bij het idee dat zij over twintig jaar misschien ook zo'n schok zou moeten zien te verwerken. Ze hoefde alleen maar terug te denken aan haar eigen radeloze gevoelens van onmacht om te weten dat ze dat haar eigen kind niet aan wilde doen.
In blinde paniek schoot ze haar bed uit en zonder zich te wassen trok ze snel haar kleren van de dag daarvoor aan, die nog over een stoel hingen. Daarna propte ze snel wat spullen in een tas. Ze moest hier weg voordat Ray haar kwam halen, dat was het enige waar ze aan dacht. Ze kon de bruiloft niet door laten gaan, ze durfde het niet. Bij de deur aarzelde ze. Hoe moeilijk ook, ze moest Ray bellen en hem vertellen wat ze besloten had. Ze kon het hem niet aandoen om hem voor niets te laten komen, in zijn nette pak en met een bruidsboeket in zijn handen.
Met trillende vingers toetste ze zijn nummer in.
„Met Ray," klonk het slaperig. Was het nog zo vroeg? Elvira had het gevoel dat ze al een hele dag achter de rug had, maar een blik op de klok vertelde haar dat het nog geen zeven uur was.

„Met mij," zei ze zacht. „Ray, luister..."
„Hé liefste," onderbrak hij haar vrolijk. Ineens was zijn stem klaarwakker. „Je dacht zeker dat ik me zou verslapen? Nou, wees daar maar niet bang voor, ik heb drie wekkers staan. Eindelijk is het dan zover, schat. Over een paar uur ben jij mevrouw Hoogduin. Kun je het je al voorstellen?"
„Nee," antwoordde Elvira naar waarheid. Ze slikte. Ray klonk zo blij en gelukkig, ze haatte zichzelf erom dat ze hem dat af ging pakken, maar ze kon op dat moment niet anders. „Ik kan het niet, Ray. Ik kan niet met je trouwen." Zo, dat was gezegd. Met gesloten ogen wachtte ze op zijn reactie.
„Wat zeg je?" vroeg hij ongelovig. „Dit is een grapje, hè? Zeg dat het niet waar is. Dit kan niet, liefste. We houden van elkaar, we gaan trouwen en we leven nog lang en gelukkig."
Elvira schudde wild met haar hoofd heen en weer. Haar ademhaling stokte en weer kreeg ze het benauwd.
„Ik kan het niet," herhaalde ze wanhopig.
„Elvira!" Ray schreeuwde het uit. „Dit kun je niet maken! We staan al geboekt op het stadhuis, het restaurant is besproken voor vanavond en..." Hij zweeg, begreep dat dit geen steekhoudende argumenten waren op zo'n kritiek moment. „Ik kom naar je toe."
„Nee!"
„Jawel. Blijf thuis, ik ben binnen tien minuten bij je," zei hij grimmig.
Hij hing op en als verdoofd luisterde Elvira naar de in gespreksktoon die uit haar telefoon weerklonk. Ray was onderweg hierheen, maar ze wist dat ze hem niet onder ogen durfde te komen. Ze moest weg voor hij hier was! Zo snel als ze kon rende ze de drie trappen af naar de voordeur en eenmaal buiten sloeg ze automatisch rechtsaf, omdat ze wist dat hij van de andere kant af zou komen. Haar hoofd was een warboel. Zonder het zelf echt te beseffen, stapte ze bij de standplaats op de hoek in een taxi en gaf het adres van haar moeder op. Alleen daar zou ze veilig zijn, wist ze instinctief.

„Ja, ze is hier, maar ze wil je niet spreken. Sorry." Met medelij-

den keek Amanda naar Ray, die wanhopig voor de deur stond.
„Maar dat kan ze niet maken!" zei hij radeloos en tegelijk kwaad. „Ze laat me verdorie zitten op onze trouwdag. Het minste dat ze kan doen is me behoorlijk te woord staan! Ik wil een verklaring, daar heb ik recht op."
„Ik denk dat ze die zelf niet eens heeft," zei Amanda bedachtzaam. „Ze kwam hier totaal in paniek binnen vallen een uur geleden en tot nu toe is er nog geen behoorlijk woord uit haar gekomen, behalve dat ze maar blijft herhalen dat ze het niet aankan. Is er iets gebeurd of zo? Hebben jullie ruzie gehad?"
Ray schudde zijn hoofd. „Nee, niets. Gisteravond was er nog niets aan de hand. Hoewel..." Hij dacht even na. „De laatste weken was ze eigenlijk al anders dan anders. Ze wilde nooit over onze trouwdag praten en werd kribbig als ik dat wel deed. Waarschijnlijk houdt ze toch niet genoeg van me, maar durft ze dat niet toe te geven." Hij haalde moedeloos zijn schouders op.
„Volgens mij is er heel wat anders aan de hand," meende Amanda echter beslist. „Ik ken Elvira beter dan wie ook. Als ze niet van je zou houden, zou ze dat ronduit gezegd hebben en het niet zover hebben laten komen."
„Maar wat is er dan? We hadden nu op het stadhuis moeten zijn, in plaats daarvan loop ik me wild te zoeken naar haar en krijg ik uiteindelijk te horen dat ze niet met me wil praten. Ze moet een heel goed excuus hebben voor dit gedrag."
Amanda aarzelde even. „Hoe goed kennen jullie elkaar eigenlijk? Ik bedoel... Weet je...?"
„Ik weet alles van haar," onderbrak Ray haar. „Ook wat haar vader heeft gedaan, als je dat bedoelt. En ik kan me best voorstellen dat ze met dat in haar achterhoofd even in paniek is geraakt, maar ik vind het geen reden om mij zo te laten barsten. Haar gedrag is beneden alle peil, vertel haar dat maar uit mijn naam als ze zelf te laf is om me te woord te staan."
„Val haar niet te hard aan," verzocht Amanda. „Ze doet altijd net of ze alles verwerkt heeft, maar ze heeft het er heel erg moeilijk mee. Zo'n ervaring vergeet je niet, dat grijpt heel diep in. Seksueel misbruik is voor vrouwen heel erg moeilijk te verte-

ren, zeker als het je op zo'n jonge leeftijd overkomt als bij Elvira het geval was."
„Op je trouwdag in de steek gelaten worden, is ook niet makkelijk te verwerken," reageerde Ray bitter.
„Probeer het van haar kant te zien. Het was geen willekeurige man die haar misbruikt heeft, maar haar eigen vader. Als je die zelfs niet kunt vertrouwen, wie dan wel? Ik vind het niet zo vreemd dat ze het benauwd heeft gekregen bij de gedachte om haar leven verder te verbinden aan een man. Het is ook zo snel gegaan tussen jullie en ze is nog zo jong," pleitte Amanda. Ze had medelijden met de twee jonge mensen die vandaag eigenlijk dolgelukkig samen aan hun toekomst hadden moeten beginnen. Ze kon zich de gevoelens van Elvira heel goed voorstellen, maar had ook begrip voor de kwaadheid van Ray. Hij moest zich behoorlijk vernederd en afgedankt voelen nu. Ze wenste dat ze hen kon helpen, maar ze kon niet meer doen dan praten en luisteren.
„Pak haar maar vooral met fluwelen handschoentjes aan," zei Ray schamper terwijl hij zich omdraaide.
„Wat ga je nu doen?" vroeg Amanda.
„Wat denk je?" Over zijn schouder heen keek hij haar aan. „Het stadhuis bellen, het restaurant bellen, mijn oma vertellen dat haar kleinzoon nog steeds vrijgezel is en het bruidsboeket weggooien."
„Dat bedoel ik niet."
„Dat begreep ik wel, maar wat wil je dat ik zeg? Dat ik Elvira niets kwalijk neem en gewoon verder ga met mijn leven waar het gebleven was toen ik haar ontmoette? Nou, dat is dus niet zo. Ik hou van haar en kan voor een heleboel dingen begrip opbrengen, maar niet voor dit. Ik weet niet wat ik met de rest van mijn leven aanmoet, maar dat komt wel weer. Ik heb het bijna zesentwintig jaar gered zonder haar, dat zal me de komende tijd dus ook wel lukken. Wat mij betreft is het tijdperk Elvira Veerman verleden tijd."
Amanda schudde haar hoofd. „Daar meen je niets van."
„Ik ben niet van plan te treuren om iemand die me zo behandelt," zei Ray hard, maar met een gepijnigde blik in zijn ogen.

Zonder afscheid te nemen van de vrouw die bijna zijn schoonmoeder was geworden, liep hij de straat uit. Zuchtend sloot Amanda de buitendeur. Ze hadden dit gesprek gevoerd op de stoep, omdat Elvira toen hij aanbelde in paniek had gegild dat ze hem niet wilde zien. In de huiskamer zat Elvira op de bank, met Alexandra naast zich. Ze keken allebei op toen Amanda de kamer binnen kwam.
„Is hij weg?" vroeg Elvira met betraande ogen.
Amanda knikte. „Hij is behoorlijk kwaad en eigenlijk kan ik hem dat niet kwalijk nemen," zei ze kort.
„Alsof ik dit voor mijn lol heb gedaan," snikte Elvira alweer.
„Je bruiloft afzeggen is nog heel iets anders dan weigeren met je aanstaande man te praten. Hoe denk je dat hij zich voelt?"
„Vast niet beroerder dan ik." Met trillende handen pakte Elvira een beker koffie van Alexandra aan.
„Daar zou ik maar niet zo zeker van zijn."
„Je moet met hem praten, daar heeft hij recht op," meende ook Alexandra. „Zelfs als je hem nooit meer wil zien, kun je het niet maken om het op deze manier af te sluiten."
„Nooit meer willen zien?" Verbaasd keek Elvira haar aan. „Hoe kom je daar nou bij? Het is helemaal niet mijn bedoeling om onze relatie te verbreken, alleen is nu wel bewezen dat ik er nog niet aan toe ben om te trouwen. Ik denk dat we daar nog een jaartje of zo mee moeten wachten."
Alexandra en Amanda wisselden een veelbetekenende blik. Het was te hopen dat Ray daar in kon meegaan, maar ze vreesden het ergste.
„In dat geval zou ik zeker maar snel naar hem toe gaan als ik jou was," besloot Amanda het gesprek.
Elvira wist dat ze gelijk had, toch duurde het nog twee dagen voor ze zich goed genoeg voelde om de confrontatie met Ray aan te gaan, twee dagen waarin ze niets anders deed dan wat rondhangen en nadenken. Ze hoefde niet te werken, omdat ze aansluitend op haar huwelijksdag twee weken vakantie had opgenomen, wat nu goed uitkwam. Ze had het nu niet op kunnen brengen om de hele dag opgewekt door het bejaardentehuis te lopen. Het drong tot haar door dat die ene, zwarte perio-

de uit haar jeugd een ontzettend grote impact op haar had. In het dagelijkse leven viel dat niet op, maar het bewijs was inmiddels wel geleverd dat ze het nog niet verwerkt had. Ze zou er zelf actief aan moeten werken dat dat wel gebeurde, want het verdween niet vanzelf, begreep ze. Maar Ray zou haar daarbij helpen, daar was ze van overtuigd. Hij was altijd zo lief en begripvol. Elvira verlangde ernaar om met hem te praten en zijn armen weer om haar heen te voelen. De afgelopen dagen waren een nachtmerrie geweest, maar nu ze alles op een rijtje had en voor zichzelf ontdekt had wat de oorzaak was van haar paniekaanval, zou alles weer goed komen.

Ray ontving haar echter niet met open armen, zoals ze verwacht had. Na het openen van zijn huisdeur keek hij haar kil aan.

„Wat kom je doen?" vroeg hij nors.

„Met je praten," antwoordde Elvira onzeker. „Het spijt me allemaal ontzettend, Ray."

„Mij ook."

Hij bleef haar strak aankijken, maar de liefdevolle blik die voorheen in zijn ogen had gelegen als hij naar haar keek, was verdwenen.

„Mag ik binnen komen of laat je me op de stoep staan?" vroeg Elvira half lachend van nerveusiteit. Deze Ray was een vreemde voor haar.

„Ik denk dat we het gesprek hier wel af kunnen handelen," zei hij zonder een spoortje van emotie in zijn stem. „Net zoals ik bij de voordeur afgescheept werd door je moeder."

„Dat was een hele andere situatie." Smekend keek Elvira hem aan. „Het spijt me echt. Hoe vaak moet ik dat zeggen voor je me gelooft? Ik was mezelf niet op dat moment, maar de laatste dagen heb ik veel nagedacht en ik weet nu waar het door kwam. Ik heb nog steeds niet verwerkt wat mijn vader gedaan heeft en ik draaide volledig door bij de gedachte dat wij misschien ook ooit een dochter krijgen en.... Nou ja." Ze zweeg, maar hij begreep precies wat ze bedoelde.

„Dat ik ook tot iets dergelijks in staat zou kunnen zijn," constateerde hij.

„Sorry, ik wilde je niet kwetsen," zei Elvira zacht.
Hij lachte bitter. „Dat punt heb je allang overschreden. Ik neem je niet kwalijk dat je in paniek raakte en ik neem je zelfs niet kwalijk dat je bang was dat ik hetzelfde zou doen, want voor die gevoelens kan ik begrip opbrengen. Wat ik je wel kwalijk neem is dat je daar nooit over gepraat hebt en dat je er zonder meer vandoor bent gegaan op de ochtend van onze trouwdag. Na je telefoontje ben ik als een gek naar je toegereden, maar je was al gevlogen. Dát kwetste me. Je bent er simpelweg vandoor gegaan zonder iets uit te praten of uit te leggen. Als je op me was blijven wachten, zoals ik je gevraagd had, had ik je kunnen helpen met die verwarde gevoelens. Het had me niet zoveel kunnen schelen als die bruiloft niet doorging, als je er maar eerlijk over was geweest en we samen die beslissing hadden genomen. In plaats daarvan ben ik langs iedere bekende gegaan in een poging je op te sporen en toen ik je eindelijk gevonden had, liet je me als een bedelaar op de stoep staan."
„Het spijt me," zei Elvira voor de derde keer.
„Daar ben je te laat mee."
„Maar Ray… Ik hou van je, dit betekent toch niet het einde van onze relatie? Ik weet nu wat er fout ging bij mij, daardoor weet ik ook dat dit me niet meer zal gebeuren. Ik wil niets liever dan bij jou zijn, daar ben ik de laatste dagen wel achter gekomen."
„Als we daar sámen achter waren gekomen, hadden we nog een kans gehad, nu hoeft het voor mij niet meer," zei Ray tot haar ontsteltenis. Als in een droom luisterde Elvira naar zijn harde woorden, ze kon niet geloven dat hij dit echt zei. „Een relatie hebben houdt in dat je er voor elkaar bent en dat je belangrijke zaken en gevoelens met elkaar deelt. Jij hebt zonder mij besloten dat onze bruiloft niet doorging en daarna heb je me volledig buiten gesloten bij het verwerken van je gevoelens. Ik geloof onmiddellijk dat je het erg zwaar hebt gehad de afgelopen achtenveertig uur, maar dat geldt ook voor mij. Mijn droom was in duigen gevallen, mijn toekomst kapot en ik kon daar niet eens met je over praten omdat jij dat niet wilde. Nu beweer je dat je van me houdt, maar houden van betekent sámen de dingen oplossen, niet in je eentje."

Elvira staarde hem met grote ogen aan, niet in staat om nog iets te zeggen. Heel haar gevoel kwam in opstand, maar haar mond zweeg. De emoties die Ray's woorden in haar losmaakten, waren te veelomvattend om in woorden tot uiting te brengen. Zelfs als ze haar leven er mee had kunnen redden, dan had ze nog niets uit kunnen brengen.
Ray vatte haar stilzwijgen op als instemming met zijn betoog en deed een stap naar achteren, zijn hal in. „Het ga je goed," zei hij nog zacht voor hij de deur onverbiddelijk voor haar sloot.
Elvira wist later niet hoe lang ze op die galerij was blijven staan, niet wetend dat Ray aan de andere kant van de deur moeite moest doen om niet alsnog naar buiten te stormen en haar in zijn armen te nemen. Hij hield zo ontzettend veel van haar dat het bijna lichamelijk pijn deed, toch stond hij achter zijn beslissing. Ze had hem té diep gekwetst. Nooit zou hij die wurgende angst vergeten toen hij tot de ontdekking kwam dat ze weggegaan was, op die bewuste ochtend. Het uur dat hij nodig had om haar te vinden, had wel een hele dag geleken en toen hij daarna ook nog min of meer werd weggestuurd, was voor hem de maat vol geweest.
Zijn definitie van een relatie was blijkbaar heel anders dan de betekenis die Elvira eraan gaf. Hoe moeilijk ook, dat zou hij moeten accepteren.

HOOFDSTUK 16

Er volgden moeilijke dagen. Niet alleen voor Ray en Elvira, maar ook voor Alexandra, die dagelijks met het verdriet van Elvira werd geconfronteerd. Ze probeerde haar zus zo goed mogelijk op te vangen en te troosten, maar veel kon ze niet doen. Elvira besteedde het grootste deel van de dagen met somber voor zich uitstaren. Ze wist dat Ray gelijk had met zijn harde woorden, maar dat maakte het alleen maar moeilijker en niet makkelijker. Ze zou er alles voor over hebben als ze de laatste dagen terug kon draaien. Dan zou ze alles anders aangepakt hebben, wist ze nu. Ten eerste zou ze met Ray gepraat hebben over haar gemengde gevoelens. Niet alleen wat betreft hun trouwdag, maar over hun huwelijk op zich. Elvira was er inmiddels wel achter gekomen dat haar aversie niets te maken had met de manier waarop hun bruiloft gevierd zou worden, dat had ze zichzelf alleen maar wijsgemaakt omdat verder denken te moeilijk was. Het was het huwelijk op zich waar ze moeite mee had gehad. Ze had het gewoon niet aangedurfd om die stap te zetten en haar leven te verbinden aan een man zonder de zekerheid te hebben dat hij misschien ooit dingen zou gaan doen die niet door de beugel konden. Die zekerheid zou ze nooit krijgen, realiseerde ze zich nu. Het draaide om vertrouwen. Nu, na talloze gesprekken met Alexandra en Amanda en na haar gevoelens geanalyseerd te hebben, wilde ze niets liever dan samen met Ray het leven door, maar nu was het te laat. Ray wilde niets meer van haar weten en na alles wat ze hem aangedaan had, kon Elvira hem dat niet eens kwalijk nemen. Het was haar eigen schuld. Als ze eerder over haar gevoelens en angsten gepraat had, had ze dit allemaal kunnen voorkomen. Ze nam zich voor om na een paar weken nog een poging te ondernemen om met Ray te praten, als de eerste emoties een beetje gezakt waren. Hun liefde was te groot om zomaar een punt achter te zetten, zonder op zijn minst met elkaar te praten. Nu ze alle tijd had om over de dingen na te denken, was ze een heleboel zaken anders gaan zien en ze hoopte dat het Ray ook zo zou vergaan. Met het verstrijken van de tijd werd hij wellicht

iets milder in zijn oordeel. Die gedachte hield Elvira op de been tijdens haar vakantieweken.
Alexandra's besluit om met Rudi te gaan praten was wat naar de achtergrond geschoven door de gebeurtenissen van de laatste dagen, maar nam weer vastere vormen aan door de gesprekken die ze met Elvira had gevoerd. Het zien van Elvira's verdriet gaf de doorslag. De situatie waar haar zus zich in bevond, was een rechtstreeks gevolg van de gebeurtenissen van jaren geleden, zoiets kon haar ook overkomen als ze niet eens aan zichzelf ging werken. Het werd tijd dat ze onder ogen ging zien dat wat haar vader had gedaan, invloed had op haar leven. Elvira had vaker geprobeerd om haar dat duidelijk te maken, maar Alexandra had altijd ontkend dat het één het gevolg was van het ander. Nu zag ze met eigen ogen wat daden uit het verleden voor impact konden hebben op de toekomst. Dat was alleen te voorkomen door het verleden af te sluiten, al was dat simpeler gezegd dan gedaan. Alexandra meende dat ze dat alleen kon doen door haar vader er rechtstreeks mee te confronteren. Elvira weigerde echter met haar mee te gaan toen ze dat ter sprake bracht.
„Ik heb er geen enkele behoefte aan," beweerde ze stellig. „Heel lang heb ik gedacht dat het me zou helpen als hij zijn fouten toe zou geven, maar nu weet ik dat dat niets uitmaakt. De kracht om hier bovenuit te groeien moet uit jezelf komen en dat punt heb ik inmiddels bereikt. Niets van wat hij zegt of doet, heeft daar nog invloed op. Ik heb helemaal afgedaan met hem."
„Dat klinkt nogal hard," zei Alexandra aarzelend. „Ik haat datgene wat hij gedaan heeft, maar het blijft wel mijn vader. Voor de rest is hij nooit slecht geweest voor ons. Was dat maar wel zo, denk ik wel eens, dan zou het makkelijker zijn om een hekel aan hem te hebben."
„O, maar ik heb geen hekel aan hem," reageerde Elvira daar direct op. „Hij interesseert me gewoon niet meer. Hij heeft jaren van mijn leven verpest, maar daar ben ik nu overheen. Voor mijn gevoel is het verleden helemaal afgehandeld, ik vind het heden en de toekomst veel belangrijker."
„Gaat dat echt zo makkelijk?" vroeg Alexandra zich af.

„Makkelijk? Nou nee, zo zou ik het niet willen noemen. Je weet niet half hoeveel moeite het me gekost heeft om dit punt te bereiken," verklaarde Elvira kalm. „Alles heeft al die tijd in het teken gestaan van wat pa met ons deed. Hij was de reden van mijn vroege vertrek uit het ouderlijk huis en van mijn besluit om de bruiloft niet door te laten gaan, maar dat was het allemaal niet waard. Natuurlijk was het hartstikke verkeerd wat hij heeft gedaan, maar het ligt aan mijzelf of ik daar slachtoffer van blijf of niet. Dat is iets dat iedereen zelf in de hand heeft. Ik heb besloten die slachtofferrol van me af te leggen en mijn eigen leven te gaan leiden, ook als Ray me niet meer terug wil. Het is heel makkelijk om de schuld van onze breuk op het conto van pa te schrijven, maar zo werkt dat niet. Ik ben zelf verantwoordelijk."
„Jij bent wel gegroeid de laatste tijd," merkte Alexandra bewonderend op. „Zo ver ben ik nog lang niet, maar ik hoop het ooit te halen. Ik heb wel behoefte aan een gesprek met pa. Je weet zelf dat ik jarenlang heb beweerd dat zijn daden geen invloed op mijn gedrag hadden, nu weet ik dat dat onzin was. Het één houdt rechtstreeks verband met het ander, dat heb ik aan jou gezien. Als pa met zijn handen van ons af was gebleven, was jij op je trouwdag niet gevlucht en was je leven heel anders verlopen. Voor mij geldt dat ook. Als hij het niet gedaan had, had ik nu nog gewoon thuis gewoond en was ik nooit bij Arjen ingetrokken. Zijn gedrag heeft heel wat verstrekkende gevolgen gehad, voor ons allemaal."
„Ik ben blij dat je dat nu zelf inziet. Dan is onze mislukte trouwdag toch niet helemaal voor niets geweest," zei Elvira droog. „Maar nu is het de kunst om daar niet in te blijven hangen en vooruit te blijven kijken."
„Dat is moeilijk."
„Vertel mij wat." Elvira glimlachte wrang. Het had heel wat strijd gekost om zo denken als ze nu deed. Het was makkelijker om alles af te schuiven op één zondebok, daar was ze wel achter, alleen hielp dat niet. „Maar niemand weet hoe ons leven verlopen zou zijn als dit niet was gebeurd. Waarschijnlijk waren er dan wel andere dingen fout gelopen, dat kan haast niet

anders. Iedereen krijgt zijn portie te verwerken, op wat voor vlak dan ook. Wat denk je eigenlijk te bereiken door met pa te praten?"
„Dat weet ik niet," antwoordde Alexandra eerlijk. „Ik weet nog niet eens wat ik tegen hem wil zeggen."
Toen ze een dag later bij hem voor de deur stond, wist ze dat nog steeds niet, ze had alleen heel sterk het gevoel dat ze dit moest doen. Toch aarzelde ze lang voor ze uiteindelijk op de bel drukte. Ze hoopte dat hij thuis zou zijn, want ze wist niet of ze nog een keer de moed op kon brengen om deze stap te zetten. Vroeger was hij altijd rond zes uur thuis gekomen van zijn werk, herinnerde ze zich. Nu was het kwart over zeven, maar ze wist natuurlijk niet of hij nog dezelfde dagindeling aanhield als in de tijd dat hij nog getrouwd was en zijn gezin thuis had.
Het duurde even, toen hoorde ze toch gestommel in de gang en werd de deur geopend. Het eerste dat haar opviel, was dat Rudi er slecht uitzag. Zijn gewoonlijk onberispelijke kapsel zat door de war, alsof hij er met zijn handen doorheen had gewoeld en zijn ogen, omringd door donkere wallen, stonden dof. Aan zijn pak, dat vroeger perfect om zijn lichaam heen sloot, maar dat nu slobberde, kon Alexandra zien dat hij afgevallen was. Hij maakte een vermoeide en uitgebluste indruk, heel anders dan de geslaagde zakenman die ze zich herinnerde. Het gaf haar geen gevoel van voldoening, wat ze eigenlijk half en half verwacht had, het wekte juist haar medelijden op. Voor het eerst drong het tot Alexandra door dat het leven er voor haar vader ook niet makkelijker op was geworden, al had hij dat dan zelf veroorzaakt.
„Alexandra." Zijn ogen lichtten eventjes op bij het aanschouwen van zijn jongste dochter. „Wat fijn om jou weer te zien. Vanwaar dit onverwachte bezoek?"
„Ik wil met je praten," antwoordde ze onzeker. „Mag ik binnen komen?"
„Natuurlijk." Hij opende de deur wat verder en achter hem aan liep ze naar de huiskamer. Er was niets veranderd, toch was het of ze zich in een vreemd huis bevond.
„Zal ik koffie zetten of zo?" vroeg Rudi aarzelend.

Alexandra stemde toe. Niet omdat ze daar zo'n trek in had, maar omdat ze even alleen in de kamer wilde zijn om haar verwarde gedachten te ordenen. Terwijl Rudi naar de keuken ging, keek ze rond in de kamer waar ze zoveel tijd in door had gebracht gedurende haar jeugd. De ziel was verdwenen, ontdekte ze. Alle vertrouwde meubelstukken van vroeger stonden nog op precies dezelfde plaats, toch maakte het een hele andere indruk. Het waren nu slechts een stel bij elkaar geplaatste meubels, zonder leven. Het zou een willekeurige showroom kunnen zijn, in plaats van een huis waarin gelachen, gehuild en geleefd werd. Dankzij het werk van de schoonmaakster was het schoon en opgeruimd, maar ze miste de bossen bloemen die haar moeder altijd had staan en het speelgoed van de jongens, dat vroeger altijd rondslingerde.
Even later zaten ze als vreemden tegenover elkaar, allebei zoekend naar woorden. Om zich een houding te geven, roerde Alexandra driftig in haar koffie.
„Elvira zou gaan trouwen, maar ze is er op de grote dag vandoor gegaan omdat ze het niet aandurfde," gooide ze er plotseling uit.
„En nu ben jij dus hier om de schuld daarvan in mijn schoenen te schuiven?" meende Rudi te begrijpen. Hij maakte een moedeloos gebaar met zijn handen. „Alles is mijn schuld, dus dit kan er ook nog wel bij." Het klonk bitter.
Alexandra schudde haar hoofd. „Zo denkt Elvira er zelf niet over, ze neemt zelf de volle verantwoordelijkheid van haar besluit op zich. Maar jij bent natuurlijk wel de directe oorzaak."
„Natuurlijk," beaamde hij, maar het klonk niet alsof hij het meende.
Ineens keek Alexandra hem recht aan. „Waarom?" vroeg ze. „Waarom heb je het gedaan? Realiseerde je je helemaal niet waar je mee bezig was en wat voor een effect het op ons, twee onschuldige kinderen, had?"
„Waar heb je het over?" ontweek Rudi deze rechtstreekse vraag. Hij wendde zijn blik van haar af.
Alexandra schoof met een ongeduldig gebaar haar beker van zich af. De geur van de sterke koffie maakte haar misselijk. „Je

weet heel goed wat ik bedoel, dus hou je niet van de domme. Je bent onze vader, je had ons moeten beschermen in plaats van te beschadigen."
„Dat is een erg groot woord. Er is nooit echt iets gebeurd, ik ben geen kinderverkrachter."
„Maakt het feit dat je ons nooit verkracht hebt, goed wat er wel is voorgevallen?"
Rudi zweeg, het was duidelijk dat hij niet wist hoe hij moest reageren.
„Je hebt geen idee wat een impact jouw daden op ons leven hebben," ging Alexandra verder. „Elvira en ik hebben allebei de nodige problemen met mannen, die allemaal terug te voeren zijn op onze jeugd. En wat denk je van Timo en Bennie? Zij groeien op in een gebroken gezin, door iets dat hun vader jaren geleden gedaan heeft. Door die ene periode waarin je niet met je handen van ons af kon blijven, heb je een jarenlang durende poel van ellende veroorzaakt, voor heel veel mensen."
„Ook voor mezelf," gaf Rudi plotseling toe. Nu keek hij haar wel aan en ze schrok van de pijn die in zijn ogen te lezen was. „Denk je dat ik er geen spijt van heb? Dat ik de klok niet graag enige jaren terug zou willen draaien? Kijk om je heen, wat heb ik nog om voor te leven? Mijn vrouw is weg, mijn twee oudste kinderen haten me. Ik weet wat ik veroorzaakt heb, Alexandra, ik word er dagelijks mee geconfronteerd."
„Heb je er spijt van omdat het niet door de beugel kon wat je deed, of omdat de gevolgen je zo tegen vallen?" vroeg Alexandra hard. „Het enige dat ik uit jouw woorden begrijp is dat je erg veel medelijden met jezelf hebt. Vraag je je wel eens af hoe het voor ons is?"
Rudi stond op en ijsbeerde door de kamer heen. Hij zag er verwilderd uit.
„Voortdurend," zei hij kort. „Maar wie gelooft dat? Ik ben fout geweest, dat weet ik, maar ik heb nooit de kans gekregen om iets goed te maken. Toen ik me echt goed begon te realiseren waar ik mee bezig was, ben ik er mee gestopt. Daarna, en ook daarvoor trouwens, ben ik altijd een goede vader voor jullie geweest, alleen schijnt dat ineens niet meer te tellen. Ik ben

alleen nog maar de schoft die niet met zijn handen van zijn eigen dochters af kon blijven."
„We zijn jaren daarna nog bang voor je geweest. Waarom denk je dat we nooit thuis bleven als mama er niet was?"
„Toen het eenmaal over was, heb ik daar nooit meer aanleiding toe gegeven."
„Toen was het te laat. We hebben je nooit meer als een normale vader kunnen beschouwen. Jij was degene die onze jeugd verpest had en dat werkt nog steeds door in alles wat we doen."
„Daar ben ik me inmiddels ook van bewust." Rudi haalde even hulpeloos zijn schouders op. „Dat vind ik ook heel erg, helaas kan ik niets meer terugdraaien. Maar ik ben meer dan die viezerik die zijn dochters betastte, ik ben ook de man die jullie heeft opgevoed en die hard werkte om jullie opleiding te kunnen betalen. Het is hard als je voor de rest van je leven wordt afgerekend op één fout."
„Dat is je eigen schuld."
„Dat hoef je me niet in te wrijven. Avond aan avond zit ik hier in mijn eentje te bedenken wat ik fout heb gedaan."
„Waarom merken we daar dan nooit iets van?" vroeg Alexandra zich af. „Al die tijd is er geen contact geweest en nu sta ik bij je voor de deur en je vraagt me niet eens hoe het met me gaat. Volgens mij ben jij meer met jezelf bezig, dan met ons."
Even bleef het stil tussen hen. „Het valt allemaal niet mee," zei Rudi toen. „Voor ons allemaal niet."
En daar moet ik het dan mee doen, dacht Alexandra verdrietig. Ze stond op. „Ik ga," zei ze kort.
„Ik vond het fijn om je te zien," zei Rudi. Ze kon zien dat hij dat meende en dat stemde haar toch blij, al had dit gesprek haar dan niet gegeven wat ze gehoopt had. Maar wat had ze eigenlijk verwacht? Eerlijk gezegd wist ze dat zelf niet.
„Ondanks alles vond ik het toch prettig om even met je te praten," zei ze desalniettemin.
„Ik ook." Hij aarzelde even. „Zie ik je nog eens?"
„Dat weet ik niet," antwoordde ze eerlijk.
Hij beet op zijn lip, knikte daarna begrijpend. „Oké. Je weet mijn adres, mijn deur staat altijd voor je open. En eh..."

„Ja?" Verwachtingsvol keek Alexandra hem aan, toen hoorde ze eindelijk de woorden waar ze op gehoopt had.
„Het spijt me. Alles." Rudi maakte een veelomvattend gebaar met zijn handen.
Er gleed een lach over Alexandra's gezicht. Hier had ze op gewacht, wist ze. Het maakte niets goed, maar verzachtte wel wat. Zijn spijtbetuiging was hetzelfde als een schuldbekentenis, een erkenning dat alles wat er fout gelopen was in haar leven niet alleen aan haar gelegen had. Dit had ze nodig om vooruit te kunnen.
Eenmaal buiten haalde ze diep adem. Morgen ging ze direct naar haar huisarts, nam ze zich voor. Waarschijnlijk kon die haar wel doorverwijzen naar een goede psycholoog of desnoods een psychiater, zodat ze hulp had om de brokstukken bij elkaar te rapen. Ze was er nog lang niet, dat wist ze, maar het begin was er. De eerste stap op weg naar verwerking was gezet. Een gedeelte van die lange weg moest ze afleggen aan andermans hand, maar ze had er alle vertrouwen in dat ze het laatste stuk wel weer alleen afkon.

Nog lang nadat Alexandra weg was, bleef Rudi onbeweeglijk zitten. Dit gesprek had hem meer aangegrepen dan hij toe wilde geven. De laatste tijd was alles fout gelopen in zijn leven. Zijn vrouw was weggegaan, met zijn twee dochters had hij geen contact meer, zijn twee zoontjes zag hij nog maar één weekend in de twee weken en zijn baan, waar hij zich altijd met hart en ziel op gestort had, gaf hem geen bevrediging meer. En het ergste was dat hij dat allemaal zelf veroorzaakt had. Aan zichzelf durfde hij dat toe te geven, al was het met moeite. Het aan anderen bekennen was iets anders. De woorden 'het spijt me' waren slechts met de grootste moeite over zijn lippen gekomen, toch had hij ze wel degelijk gemeend. Het speet hem echt. Hij was blij dat hij dat tegenover zijn dochter had kunnen bekennen.
De laatste tijd vroeg hij zich vaak af wat hem in hemelsnaam bezield had indertijd. Ook hij had tegenwoordig volop de tijd om na te denken. Hij had er geen verklaring voor, wist alleen

dat hij ver over een grens heen was gegaan en dat hij daar nu, jaren later, de prijs voor betaalde. Een zeer hoge prijs, al vond Amanda het te laag voor wat hij aangericht had. Maar wat voor straf hij ook kreeg, het zou nooit genoeg zijn. Niet voor Amanda, niet voor Elvira en Alexandra, maar ook niet voor hemzelf, daar was hij inmiddels wel achter. Niet alleen zijn dochters, maar ook hij moest de rest van zijn leven de gevolgen van zijn daden dragen.
Rudi Veerman, de geslaagde jurist waar veel mensen met ontzag en respect naar opkeken, was volledig mislukt in zijn privéleven. Als een gebroken man stond hij op. Hij kon alleen maar hopen dat dit korte gesprek met Alexandra de deur open had gezet tot nader contact met zijn dochters. Hij kon het nooit meer ongedaan maken, maar misschien was er ooit nog iets te herstellen.

HOOFDSTUK 17

De dag dat Elvira na haar vakantie weer aan het werk moest, stond ze met een loodzwaar gevoel op. Buiten het werk om had ze geen contact met haar collega's en ze had dan ook nog niemand gesproken, maar ongetwijfeld waren ze al op de hoogte van haar mislukte trouwdag, door middel van de oma van Ray. Daar zag ze trouwens ook tegenop, om mevrouw Evers onder ogen te moeten komen. Een paar dagen na de bewuste dag had ze een kaartje van haar ontvangen met enkele bemoedigende woorden erop, maar dat was toch heel iets anders dan persoonlijk contact. In ieder geval was het wel heel lief van haar, want uit het kaartje was tenminste duidelijk gebleken dat mevrouw Evers haar niets kwalijk nam, al had ze haar kleinzoon dan ongelukkig gemaakt, sprak Elvira zichzelf moed in.
Direct bij het binnenkomen had ze al de eerste confrontatie met collega Tara, die de receptie bemande.
„Goedemorgen," groette ze. „Meid, wat heb jij de gemoederen hier bezig gehouden. Iedereen sprak erover toen we van mevrouw Evers hoorden dat jullie huwelijk niet doorging. Wat was er precies aan de hand?"
„Ik praat er liever niet over, het is persoonlijk," antwoordde Elvira afwerend.
„Hij heeft je zeker laten zitten," zei Tara venijnig.
Elvira zuchtte. Dergelijke praatjes had ze natuurlijk kunnen verwachten, toch viel het haar rauw op haar dak.
„Denk maar wat je wilt," zei ze uiterlijk rustig, maar inwendig kwaad. Ze liep door naar de garderobe om haar jas op te hangen, maar voor ze daar naar binnen ging, draaide ze zich nog een keer om naar Tara. „Overigens bedankt voor je steun en jullie liefdevolle reacties, dat was precies wat ik nodig had," merkte ze op spottende toon op.
Tot haar voldoening zag ze dat Tara een rode kleur kreeg. Zonder weerwoord boog ze zich over haar werk heen en keurde Elvira verder geen blik meer waardig. Gelukkig reageerde niet iedereen zo. Op weg naar de kamer van mevrouw Evers, waar Elvira eerst even langs wilde gaan voor haar werktijd

begon, kwam ze verschillende collega's tegen die haar bemoedigend en opbeurend toespraken, maar Elvira begreep heel goed dat ze bij de gesprekken onderling het hoofdonderwerp was. Dat was onvermijdelijk binnen zo'n groep, vooral omdat niemand het fijne er vanaf wist en ze dus alleen maar konden gissen naar de redenen. Het zou nog wel even duren voor het geroddel bedaard was, vermoedde ze.
Mevrouw Evers zat al aangekleed aan haar tafel voor het raam en ze strekte allebei haar armen naar Elvira uit. „Ik hoopte al dat je naar me toe zou komen vandaag. Hoe is het nu, kind? Heb je de vrije tijd benut om de zaken een beetje op een rijtje te krijgen?"
„Inmiddels weet ik precies wat ik wil, ja. Alleen is het nu te laat," zei Elvira somber. Ze was geroerd door de hartelijk ontvangst van Ray's oma. Ze had het haar niet kwalijk kunnen nemen als ze boos op haar geweest was. „Ik vind het zo erg dat dit gebeurd is. Het is mijn schuld."
„Echt slim was het niet van je," reageerde mevrouw Evers droog. „Maar het is nutteloos om jezelf voortdurend verwijten te blijven maken. Ik heb lang met Ray gepraat en hij is ontzettend kwaad op je, maar hij houdt ook nog steeds heel veel van je. Het is vooral zijn gekrenkte trots die hem nu zo doet reageren."
„Ik heb hem gebeld en geschreven, maar de telefoon nam hij niet op en op mijn brief heb ik geen reactie gehad," vertelde Elvira.
„Hij heeft even tijd nodig. Ray heeft een ontzettende klap te verwerken gehad, vergeet dat niet. Ik weet wat er allemaal aan de hand is, maar jij bent niet de enige die het slecht getroffen heeft thuis. Je weet van zijn jeugd af. Gelukkig heb ik een heleboel goed kunnen maken, maar juist die eerste jaren zijn zo bepalend voor een kind. Ray heeft een sterke verlatingsangst overgehouden aan die tijd, dus juist voor hem was dit heel zwaar. Het was een nachtmerrie die uitkwam. Jullie grootste fout is dat jullie nooit over jullie angsten hebben gesproken, om de ander niet te belasten. Als hij van jouw gevoelens af had geweten, zou hij de bruiloft uitgesteld hebben en als jij geweten

had waar hij bang voor was, zou je nooit op deze manier gehandeld hebben. Geef jezelf dus niet alleen de schuld, want jullie hebben allebei meegewerkt aan het ontstaan van deze situatie."
„Dacht Ray er ook maar zo over. Ik wil niets liever dan het met hem uitpraten en het goed maken," bekende Elvira.
„Zal ik jou eens een geheimpje vertellen?" Mevrouw Evers boog zich naar haar toe, er blonken pretlichtjes in haar ogen. „Die kleinzoon van mij denkt er precies zo over, alleen zijn trots weerhoudt hem daarvan. Als hij eenmaal tot de ontdekking komt dat hij daar niets mee opschiet, staat hij zo bij je op de stoep voor de grote verzoening."
„Zou u denken?" vroeg Elvira onzeker, maar met een sprankje hoop in haar stem.
„Ik weet het zeker," bevestigde mevrouw Evers haar woorden beslist. „Tenslotte ken ik Ray beter dan wie ook. Er mankeert niets aan jullie gevoelens voor elkaar, Elvira, daar ligt het probleem van jullie breuk niet. Persoonlijk ben ik ervan overtuigd dat het binnenkort wel weer in orde komt tussen jullie."
„Ik wil niets liever." Elvira drukte spontaan een zoen op de wang van de oude vrouw.
Een stuk lichter dan toen ze binnenkwam, verliet ze de kamer om aan het werk te gaan. Het werd geen makkelijke dag voor haar, maar het gesprek met mevrouw Evers gaf haar genoeg moed om de fluisterende stemmen achter haar rug met opgeheven hoofd te trotseren. Wat kon haar het tenslotte schelen wat haar collega's dachten en zeiden? Als mevrouw Evers gelijk had, was de rest niet belangrijk genoeg om zich druk over te maken.
Ondanks alles was het prettig om weer te werken en afleiding te vinden in haar bezigheden. Er was altijd meer dan genoeg te doen, zodat Elvira geen tijd had om te piekeren. Om tien over twaalf liep ze met een kar met vuil beddengoed naar de wasruimte, toen haar hart een slag oversloeg van schrik. Door de grote ruiten zag ze Ray het bejaardentehuis binnen komen lopen. Als hij naar zijn oma ging, moest hij door deze gang heen, realiseerde Elvira zich, zodat een ontmoeting onvermijdelijk was. Even overwoog ze om de grote schoonmaakkast,

die zich naast haar bevond, in te vluchten, maar gedachtig de woorden van mevrouw Evers bedwong ze die neiging meteen weer. Niet bij machte om te bewegen bleef ze stofstijf staan en keek ze toe hoe Ray door de lange gang haar richting opkwam.
„Hallo Ray, hoe gaat het met je?" trachtte ze zo neutraal mogelijk te zeggen toen hij haar naderde.
Gespannen wachtte ze af, maar hij keurde haar geen blik waardig en gaf geen antwoord op haar vraag. Haar aanwezigheid straal negerend liep hij langs haar heen, alsof ze onzichtbaar was. Pijnlijk getroffen keek ze hem na, ze had zich nog nooit zo vernederd gevoeld. Zo moest Ray zich ook gevoeld hebben toen hij op hun trouwdag bij haar thuis arriveerde en merkte dat ze weggegaan was, drong het tot haar door. Nou, als het zijn bedoeling was om wraak te nemen, was hem dat prima gelukt! De tranen sprongen in Elvira's ogen en ze had het gevoel dat ze ieder moment om kon vallen. Tot overmaat van ramp kwamen er twee van haar collega's uit de tegengestelde richting aanlopen. Ze moesten Ray gezien hebben. Als ze haar nu zo zagen staan, zou dat onmiddellijk weer nieuwe praatjes aanwakkeren, begreep Elvira. Of, eigenlijk nog erger op dat moment, ze zouden proberen haar te troosten en dat kon ze nu helemaal niet hebben. Zonder zich te bedenken, dook ze alsnog de ruime schoonmaakkast in, zodat ze aan het oog onttrokken werd.
In de schemerige ruimte liet ze zich met haar rug langs de muur op de grond glijden, want haar benen konden haar onmogelijk langer houden. Met haar handen voor haar gezicht geslagen snikte Elvira het uit. Ze had zich nog nooit zo ellendig gevoeld als op dat moment, zelfs niet op de dag die haar trouwdag had moeten zijn. En ze had deze puinhoop zelf veroorzaakt, dat was nog het ergste van alles.
Ray was inmiddels doorgelopen naar de kamer van zijn oma, maar een blik om haar deur vertelde hem dat ze lag te slapen, zoals ze vaak deed aan het begin van de middag. Besluiteloos bleef hij even staan. Hij had dit kunnen weten natuurlijk, maar toch had hij de verleiding niet kunnen weerstaan om in zijn lunchpauze naar het bejaardentehuis te gaan, omdat hij wist dat Elvira vandaag weer begonnen was met werken. Hij miste

haar ontzettend en wilde haar dolgraag even zien, maar bij de onverwachte confrontatie op de gang had hij niet geweten hoe hij moest reageren. Uit pure onzekerheid was hij daarom langs haar heen gelopen alsof ze niet bestond, hoewel hij haar het liefst ten overstaan van iedereen in zijn armen had genomen. Zijn hart trok samen bij de gedachte aan Elvira. Waarom kon hij die vervelende trots niet gewoon opzij zetten en met haar praten?

Langzaam liep hij terug, om zich heen kijkend of hij Elvira nog ergens zag. Hij sloeg de gang in die naar de hal leidde. Het karretje met linnengoed stond er nog, zag hij meteen, maar van Elvira was geen spoor te bekennen. Waarschijnlijk zat ze nu ergens haar kwaadheid te verbijten, dacht hij schuldbewust. En terecht, het was geen stijl van hem geweest om haar zo te negeren, moest hij toegeven.

Met een weemoedig gebaar liet hij zijn hand langs het handvat van de kar glijden. Waar was ze? Plotseling werd hij opgeschrikt door een geluid achter een deur naast hem, waarvan hij wist dat die toegang verschafte tot een kast met schoonmaakmiddelen. Het klonk alsof er iemand zat te huilen en dat kon maar één ding betekenen. Met een ruk trok hij de deur open en onmiddellijk zag hij het verdrietige figuurtje op de grond zitten. Ineens leek alle ellende van hem af te glijden. Het enige dat nog belangrijk was, was het feit dat Elvira hier zat te huilen om hem. Waarom deden ze elkaar dit aan?

In één beweging knielde hij naast haar neer en nam haar in zijn armen.

„Ach, lieve schat," zei hij gesmoord. „Het spijt me. Ik schrok van je en wist niet hoe ik moest reageren, daarom liep ik door."

„Je keek alsof je me haatte," snikte Elvira.

„Hoe zou ik jou nou kunnen haten? Jij bent alles voor me." Met één hand draaide hij Elvira's gezicht naar hem toe, zodat ze hem aan moest kijken. Haar rode, waterige ogen vertederden hem. „Ik hou van je."

„Ik ook van jou." Als in een droom nestelde Elvira zich tegen hem aan. Dit kwam zo volslagen onverwachts dat ze niet wist of het wel echt gebeurde of dat ze het slechts droomde. Maar

als het een droom was, wilde ze voorlopig niet wakker worden!
Het duurde een tijdje voor ze zover tot hun positieven kwamen dat ze konden praten. Ze realiseerden zich niet eens dat ze nog steeds op de grond in een kast zaten, met de deur open, zodat iedereen die langsliep hen kon zien. Gelukkig was het rustig in de gangen op dat tijdstip. De meeste bewoners zaten te lunchen en de personeelsleden die op dat moment geen lunchpauze hadden, waren aan het werk in de eetzaal.
„Het spijt me zo," zei Elvira. Ze had het gevoel dat ze dit korte zinnetje al honderden keren uitgesproken had de laatste weken, maar het was nooit genoeg om haar gevoelens te verwoorden.
„We hebben allebei fouten gemaakt," meende Ray. Nu kon hij dat wel toegeven, nu Elvira weer veilig in zijn armen lag. „We hebben te veel gevrijd en te weinig gepraat," zei hij op plagende toon.
„Vrijen is ook veel leuker," reageerde Elvira daar ondeugend op.
Gelukzalig sloeg ze haar armen om zijn hals. Natuurlijk moest er nog heel veel besproken worden tussen hen, maar dat kwam later wel. Ze hadden elkaar weer gevonden, dat was het enige dat telde, al het andere kon wachten. Hun liefde voor elkaar was in ieder geval nog volop aanwezig, dus was er niets wat niet opgelost kon worden, daar waren ze allebei van overtuigd.
„Kom liefste," zei Ray na weer een lange zoen. „Hoe jammer ik het ook vind, het wordt tijd dat we allebei weer aan het werk gaan. We zitten nog steeds in de kast," ontdekte hij wat laat.
„Dit is voortaan mijn lievelingskast," besloot Elvira met een glimlach.
Ray kwam overeind en hielp Elvira met opstaan.
„Hè, hè," klonk het ineens. Op de gang stonden drie collega's van Elvira, allemaal met de armen over elkaar geslagen, geleund tegen de muur. „Daar zijn ze dan eindelijk. Gefeliciteerd, jongens!" Ze begonnen alledrie luidruchtig te applaudisseren.
„Eindelijk komen ze uit de kast," giechelde iemand.
„Hoe lang staan jullie hier al?" vroeg Elvira met vuurrode wangen.

„Lang genoeg om te weten dat er binnenkort waarschijnlijk toch een huwelijk komt," was het lachende antwoord.
Ray keek Elvira aan en zij hief haar gezicht naar hem op. „Zeker weten," zei ze warm.

Vanuit haar deuropening zwaaide Amanda haar twee jongste kinderen uit, die het weekend bij hun vader door gingen brengen. Ze gingen er nog steeds met plezier heen, wat haar altijd enigszins geruststelde, al bleef ze angstig. Maar dat zou ze altijd wel blijven houden, vermoedde ze. De schok van de waarheid was zo onverwachts gekomen en zo groot geweest dat dat altijd zijn sporen na zou laten. Die ene avond waarop alles op tafel was gekomen zou ze in ieder geval nooit vergeten. Die avond was haar hele leven veranderd.
Maar niet slechter geworden, dacht ze met een glimlach. Al had ze daar een jaar geleden heel anders over gedacht. Terwijl de auto van Rudi de hoek omsloeg, kwam Glenn zijn huis uit.
„Je bent net te laat om de jongens gedag te zeggen," zei Amanda.
„Is Rudi nu pas weg dan?" bromde hij. „Ik zag hem aankomen toen ik thuiskwam en dat is al een aardige tijd geleden."
„Je bent jaloers," plaagde Amanda. Ze liep voor hem uit naar binnen en zette het koffiezetapparaat aan. Glenn was een echte koffieleut, hij dronk het de hele dag en avond door.
„Heb ik daar reden toe?" vroeg hij serieus terwijl hij haar in zijn armen ving.
Amanda keek in de inmiddels vertrouwd geworden bruine ogen en glimlachte naar hem.
„Nooit," verzekerde ze hem warm. „Je weet hoe ik tegenover hem sta."
„Maar ik weet nog steeds niet zeker hoe het tussen ons gesteld is." Het klonk niet verwijtend, hij constateerde slechts een feit.
„Je hebt gezegd dat je me niets op zou dringen en dat je kon wachten," zei Amanda. Ze voelde zich altijd slecht op haar gemak bij dergelijke opmerkingen, al kon ze zelf niet verklaren waarom. Ze was veel van deze man gaan houden en eigenlijk stond niets hen in de weg om samen gelukkig te worden.

Behalve dan haar eigen angst voor de liefde.
„Dat meende ik ook, maar dat houdt niet in dat ik dat prettig vind," zei Glenn kalm. „Ik hou van je en ik verlang naar je, is dat zo gek?"
Hij streelde haar haren en drukte een zachte kus op haar lippen. Amanda voelde een golf van verlangen door haar lichaam heen slaan, toch hield iets haar nog steeds tegen om daar aan toe te geven.
„De koffie is klaar," zei ze terwijl ze zich losmaakte uit zijn omhelzing.
Zwijgend liep hij naar de huiskamer en vreemd genoeg stelde haar dat enigszins teleur. Glenn dwong haar nergens toe en respecteerde haar gevoelens en hoewel ze daar dankbaar voor was, maakte dat het op de één of andere manier nog moeilijker. Als hij dominanter was geweest, had ze misschien al lang toegegeven aan haar gevoelens en waren ze deze impasse voorbij. Nu moest het echt uit haarzelf komen en het was moeilijk om die stap te zetten.
„Elvira en Ray hebben het bijgelegd," vertelde ze. „Elvira belde vanmiddag op, helemaal dolgelukkig. Ze gaan samenwonen, maar de eerste plannen voor een grootscheepse bruiloft zijn er al. Volgens Elvira maakt het haar niet langer uit hoe ze trouwen, als er maar getrouwd wordt, maar Ray staat erop om haar de dag van haar leven te bezorgen."
„Fijn voor ze," vond Glenn meelevend. De kinderen van Amanda lagen hem na aan het hart. „En met Alexandra gaat het ook de goede kant op, volgens mij. Ik heb een paar dagen geleden uitgebreid met haar gepraat en ze begrijpt nu tenminste waar haar problemen vandaan komen. Ze gaat in therapie, zei ze."
Amanda knikte. „Dat heeft ze mij ook verteld, ja. Ze heeft veel baat gehad bij het gesprek dat ze met haar vader heeft gevoerd en daar ben ik blij om. Rudi heeft zelf inmiddels ook door dat hij niet het slachtoffer is in dit geheel, maar de veroorzaker ervan. Het lijkt erop dat alles uiteindelijk toch nog op zijn pootjes terechtkomt voor ons allemaal. Dat had ik een jaar geleden niet durven hopen, toen was het zo'n gigantische puinhoop."

„Ach ja, de tijd is een raar iets," filosofeerde Glenn. „Soms werkt hij tegen, maar in dit soort gevallen is het meestal de tijd die de zaken oplost."
„Nou, we hebben er anders zelf ook genoeg aan gedaan om er bovenop te komen," zei Amanda pinnig.
Hij begon te lachen. „Wat ben je af en toe toch een heerlijke haaienpin," plaagde hij. „Maar dat geeft niet hoor, daarom hou ik juist zoveel van je."
Hij knipoogde naar haar en Amanda voelde zich warm worden. Wat had ze het toch fijn samen met deze man, bedacht ze. Hij liet haar volkomen in haar waarde en bij hem kon ze honderd procent zichzelf zijn. Bij Rudi was dat niet zo geweest, al had ze zich dat nooit gerealiseerd. Achteraf besefte ze dat haar huwelijk met hem niet zo gelukkig was geweest als ze zelf gedacht had, daarvoor had ze zichzelf teveel weggecijferd ten behoeve van haar man. Alles had altijd om hem gedraaid.
Waarschijnlijk was dat ook de reden dat ze zich niet hals over kop in Glenns armen stortte, al was ze ervan overtuigd dat het eens zover zou komen. Ze hielden van elkaar, haar kinderen mochten hem graag en het hoofdstuk Rudi was definitief gesloten, dus was er niets dat hen tegenhield. Ook hierbij zou de tijd in hun voordeel werken en de laatste barrières weghalen, wist ze. Ooit.
Glenn stond al vroeg op om naar zijn eigen huis te gaan. Voor hij de deur uitliep, overhandigde hij Amanda een envelop die hij uit zijn binnenzak haalde. „Lees dit zo maar als ik weg ben," zei hij.
Nieuwsgierig haalde ze de inhoud eruit. Het was een puzzel, zag ze tot haar verbazing. Een kruiswoordpuzzel waarbij de letters van verschillende vakjes overgebracht moesten worden naar een balk onder aan de pagina. Die letters tezamen vormden een zin. Waarom gaf Glenn haar in vredesnaam een puzzel? Ze hield niet eens van puzzelen. Toch pakte ze een pen en ging ze met het vel papier aan de tafel zitten. Er moest een reden voor zijn en misschien vond ze die reden als de puzzel opgelost was.
Nummer 1 horizontaal luidde: 'oudste dochter van Amanda' en

Amanda schoot in de lach. Dat was in ieder geval niet zo'n moeilijke, die wist ze wel. Ze ontdekte dat alle omschrijvingen op haar persoonlijk sloegen en daar begreep ze uit dat Glenn de puzzel zelf in elkaar gezet had. Steeds benieuwder naar de uitkomst, vlogen haar ogen over de regels. 'Waar heeft Timo een hekel aan' en 'het lievelingsspeelgoed van Bennie' waren enkele van de opgaven. Veel moeite om de antwoorden in te vullen, had ze dan ook niet. Na een minuut of tien waren alle hokjes vol en begon Amanda de juiste letters over te zetten naar de balk.

Langzaam verscheen voor haar ogen de tekst die Glenn speciaal voor haar op deze manier verpakt had en tranen van ontroering schoten in haar ogen.

'Jij bent mijn wereld, mijn leven, mijn liefste. Jouw aanwezigheid maakt mijn leven de moeite waard om geleefd te worden,' las ze.

Wat ontzettend lief van hem! Niet alleen de tekst op zich, die een vurige liefdesverklaring inhield, maar ook de manier waarop hij dit gedaan had. Het moest hem heel wat tijd en hoofdbrekens gekost hebben om de puzzel zo in elkaar te zetten dat alles klopte. Bovendien was uit de opgaven en antwoorden gebleken dat hij haar en haar kinderen heel goed kende.

Met een geluksgevoel wat te groot was om te bevatten, staarde Amanda naar het vel papier voor haar. Met deze man wilde ze de rest van haar leven doorbrengen, besefte ze. Al haar angsten en onzekerheden had hij door middel van deze actie met één klap van tafel geveegd. Ze wist al heel lang dat ze van hem hield, nu was de tijd rijp om daar voor uit te komen.

Als in trance liep ze naar de telefoon en toetste ze zijn nummer in. Waarschijnlijk had hij naast zijn toestel zitten wachten, want al bij de eerste rinkel nam hij op.

„Met mij," zei Amanda zacht. „Ik heb de oplossing van de puzzel gevonden. Kom je naar me toe?"

„Binnen een minuut ben ik bij je!" juichte hij.

Lachend legde Amanda de hoorn neer en liep naar de deur om vast open te doen. Glenn bezat wel een sleutel, maar ze wilde geen seconde meer verspillen. Hij kwam al aanrennen en op de

stoep, ten overstaan van de hele straat, zoende hij haar hartstochtelijk.
Niet alleen het kruiswoordraadsel, maar ook de puzzel van Amanda's leven was voltooid. Het laatste nog ontbrekende stukje viel op zijn plek toen Glenn haar in zijn armen nam en plechtig vertelde hoeveel hij van haar hield.